O DIÁRIO DA IRMÃ DE LAURA

Um livro de recordações do Holocausto para jovens leitores

2ª edição, 2014
1ª reimpressão, 2021

Texto adequado às novas regras do Acordo Ortográfico da Língua Portuguesa

Coordenação editorial: Miriam Gabbai
Tradução: Bárbara Menezes
Preparação de texto e revisão: Ricardo N. Barreiros
Projeto gráfico e diagramação: Idenize Alves
Capa: Thiago Nieri
Foto de capa: Dreamstime

CIP-BRASIL. CATALOGAÇÃO-NA-FONTE
SINDICATO NACIONAL DOS EDITORES DE LIVROS, RJ

K13d
Kacer, Kathy, 1954-
O diário da irmã de Laura / Kathy Kacer ; [tradução Bárbara Menezes]. - 2. ed. - São Paulo : Callis, 2014.
184p. : 23 cm
Tradução de: *The diary of Laura's twin*
ISBN 978-85-7416-949-1
1. Crianças judias no Holocausto - Polônia - Varsóvia - Ficção infantojuvenil. 3. Holocausto judeu (1939-1945) - Polônia - Varsóvia - Ficção infantojuvenil. 4. Literatura infantojuvenil canadense. I. Menezes, Bárbara. II. Título.
CDD: 940.5318
CDU: 94(100)"1939/1945"

ISBN 978-85-7416-949-1

Este livro contou com o apoio do Conselho Canadense para as Artes

Impresso no Brasil

2021
Callis Editora Ltda.
Rua Oscar Freire, 379, 6º andar • 01426-001 • São Paulo • SP
Tel.: 11 3068-5600 • Fax: 11 3088-3133
www.callis.com.br • vendas@callis.com.br

Kathy Kacer

O DIÁRIO DA IRMÃ DE LAURA

Um livro de recordações do Holocausto para jovens leitores

Tradução:
Bárbara Menezes

callis

Para Gabby Samra e Dexter Glied-Beliak, por levarem a memória adiante.

Prólogo

10 de janeiro de 1943,

Meu nome é Sara Gittler e eu tenho treze anos e meio. Moro aqui no Gueto de Varsóvia há mais de um ano. Você pode imaginar como é viver atrás de um arame farpado e de muros altos? Ninguém pode sair, ninguém quer entrar. Há milhares de judeus que vivem aqui como eu... Se é que isto pode ser chamado de vida. Mas isto não é viver. Para mim, viver significa ser livre, ir aonde quiser e fazer o que quiser. Não somos nada livres. Não posso ir à escola, não há parques onde eu possa brincar, tenho tão pouca comida que sinto fome o tempo todo. Talvez o que eu queira dizer é que nós existimos aqui, minha família, eu e os outros judeus. Estamos no limbo, rezando por uma situação melhor, prevendo que as coisas vão piorar.

Uma vez, li uma história sobre um passarinho que ficou preso em uma gaiola por anos, até que alguém o libertou. Ele abriu as asas e subiu para o céu, flutuando em uma corrente de ar, saboreando o doce momento da sua liberdade. Porém, sem que ele soubesse, um gato faminto o observava por trás de uma árvore. Em uma questão de segundos, o gato saltou, pegou o pássaro e o matou. Bem, você deve pensar que essa é a parte mais triste da história, o pássaro ter morrido, mas não foi essa parte que me deixou triste. O que me deixou triste foi saber que, antes de qualquer coisa, o pássaro esteve aprisionado.

Eu sonho em andar por uma rua movimentada e parar em um café para tomar sorvete e comer bolo. Sonho em ir a uma escola de verdade e sentar-me em uma das primeiras carteiras, de onde posso ouvir tudo o que o professor diz. Sonho em comprar um vestido novo, ou talvez dez vestidos. Acima de tudo, sonho em ser uma escritora famosa e todos lerem minhas histórias e lembrarem-se do meu nome. Já escrevi dezenas de histórias e elas todas estão aqui no meu diário. Elas contam a minha vida no gueto e também a vida dos meus parentes e dos meus amigos. Esta é a minha infância. Eu não mereço estar aqui, não fiz nada de errado. Meu único crime foi ter nascido judia e, por isso, fui presa e condenada.

Se você está lendo as minhas histórias é porque as encontrou no lugar especial onde irei deixá-las. E isso também significa que não estou aí para lê-las com você, para contar sobre minha vida e compartilhar minhas memórias. Minhas histórias falam pela minha vida, falam por mim. Por favor, lembre-se de mim.

Sara Gittler

Capítulo um

Era assustador, todas as pessoas ao seu redor a lembravam de que ela estava ficando adulta.

— Você é adulta agora — sua mãe disse, pensativa e um pouco triste.

— Você sabe que, como adulta, terá mais responsabilidade sobre as suas atitudes — seu pai acrescentou, mais sério.

Era muito opressivo. Não que ela não esperasse ansiosa por esses marcos, esses eventos especiais que iam carimbando a sua vida, parecidos com as estações ou os aniversários, mas melhores e mais importantes. Aos dezesseis anos, ela poderia dirigir, aos dezoito, votar. Mas, aos doze, Laura Wyman estava prestes a celebrar seu *bat mitzvah*, a cerimônia de passagem para a vida adulta das meninas judias.

Laura se perguntava o que realmente significava passar para a vida adulta. Era bom ter mais liberdade a cada ano que passava. Ela podia andar de metrô com mais frequência e ir ao shopping sem ter de dar notícias à sua mãe a cada hora! Mas esse momento tinha de ter um significado mais importante do que metrôs e shoppings. Era como se todos esperassem que o seu *bat mitzvah* fosse um momento mágico, que tudo o que ela fizera até então fosse somente um treino para a vida adulta e que tudo que acontecesse dali para frente seria a vida real. Ela iria acordar no dia seguinte à celebração com uma aparência e um sentimento completamente diferentes? Adeus, Laura criança, e olá, jovem mulher! Era algo muito sério, a começar pela cerimônia.

Primeiramente, haveria uma celebração na sinagoga. Laura ficaria em pé no altar e leria a Torá, o rolo com as mensagens bíblicas. Porém, depois disso, seria a hora de festejar. Todos os colegas da sua classe estariam lá

e também seus primos, suas tias e seus tios, amigos da família e aqueles importantes colegas de "negócios" que seu pai sempre mencionava. Laura não pensava muito nos amigos de seus pais, eles podiam convidar quem quisessem. Ela se importava com a sua família e queria que seus amigos da escola se divertissem mais do que nunca. Haveria um DJ e muitos brindes para distribuir, itens esportivos e outras lembrancinhas que seriam entregues aos melhores dançarinos. Laura esperava receber ótimos presentes.

Tudo isso aconteceria em menos de um mês, mas, antes, Laura tinha de frequentar as aulas de hebraico que iriam prepará-la para a cerimônia na sinagoga. Junto com os outros meninos e meninas que estavam estudando para os seus *bar* e *bat mitzvah*, Laura estava frequentando aquelas aulas duas vezes por semana, depois da escola, fazia um ano. Há muito a aprender quando estamos nos preparando para virarmos adultos! Era lá que Laura estava, lutando para ficar acordada e contando os minutos para a aula acabar e ela finalmente ir para casa. O rabino estava falando e Laura deixou seus papéis de lado e tentou prestar atenção.

— Tenho uma tarefa importante para passar a vocês — o rabino começou a dizer. — É trabalho extra, mas garanto que será valioso. Vai acrescentar muito à experiência de vocês em seus *bar* e *bat mitzvah*.

Laura não podia acreditar no que estava ouvindo. Outra tarefa? Impossível! Ela já tinha tanto para fazer. Havia aquele projeto de Geografia que ela ainda precisava terminar e outro livro para ler e fazer uma resenha. Ó! E ela não podia esquecer a prova de Ciências dali a duas semanas. E esses eram apenas os trabalhos de classe. Depois, também havia o time de vôlei, a final do campeonato seria em algumas semanas, o que significava que ela iria treinar três vezes por semana, em vez de duas. Além disso, Laura havia prometido à sua mãe que cuidaria da sua irmãzinha de cinco anos, Emma,

no final de semana. Laura já tinha muito a fazer sem contar esse trabalho extra para a aula do seu *bat mitzvah*.

Pensar em tudo o que tinha para fazer foi o suficiente para que Laura soltasse um resmungo alto. Um menino sentado à sua frente virou-se para olhar curioso na sua direção.

— Ei, você está se sentindo mal?

Laura sentiu seu rosto ficar quente de vergonha. O nome do menino era Daniel e ele era bonito, tinha olhos escuros e um sorriso lindo. Geralmente, Laura adoraria receber a atenção dele, mas, naquele momento, ela preferia que ele parasse de olhá-la. Sentindo-se mal? Não. Desesperada? Sim!

— Estamos desenvolvendo um projeto novo aqui na sinagoga, um projeto de gêmeos — o rabino disse. — Isso significa que cada um de vocês começará a aprender alguma coisa sobre uma criança da sua idade que morreu durante o Holocausto. Muitos de vocês sabem que, dos seis milhões de judeus que morreram ou foram mortos no Holocausto, um milhão e meio eram crianças. Muitas dessas crianças nunca tiveram a oportunidade de celebrar o *bar* ou *bat mitzvah* como vocês farão. Vocês terão a chance, por meio desse projeto, de fazer isso em nome delas.

Laura remexeu-se em sua cadeira e fechou os olhos, tentando respirar fundo. Uma coisa era passar seu tempo aprendendo hebraico para as orações que teria de recitar na sinagoga. A verdade é que isso era fácil para Laura, ela aprendia rápido e adorava decifrar as letras e palavras em hebraico, era como decodificar uma linguagem secreta. Seus pais preocupavam-se com seu desempenho nas aulas de hebraico, mas ela sabia que não teria problemas com isso. No entanto, o rabino estava pedindo para acrescentar mais coisas à sua já turbulenta agenda.

— Agora, sei que vocês todos estão imaginando o que isso irá envolver, então me deixem tentar explicar.

O rabino continuou a falar. Ele disse que cada criança da sala teria de pesquisar um menino ou menina da sua idade que tivesse vivido durante a Segunda Guerra Mundial e o Holocausto nas décadas de 1930 e 1940. Teriam de procurar saber quem foi essa criança, aprender sobre a sua família e onde ela estava durante a guerra *e* descobrir o que havia acontecido com todos. Essas crianças poderiam ser das suas famílias ou das famílias de alguém da sinagoga ou da comunidade.

— Também há aquelas que sobreviveram ao Holocausto e ainda estão vivas e que nunca tiveram a chance de ter um *bar* ou *bat mitzvah* de verdade quando eram jovens — o rabino continuou. — Vocês podem até entrar em contato com um desses sobreviventes e ver se ele estaria interessado em participar do projeto.

Todos os alunos da classe de Laura teriam a oportunidade de discursar sobre a criança escolhida no dia do seu próprio *bar* ou *bat mitzvah* — para lembrá-las de uma maneira significativa.

— É um privilégio celebrar a passagem de vocês para a vida adulta e é uma benção compartilhá-la com uma criança que nunca teve as oportunidades que vocês têm — o rabino concluiu ao entregar um pacote de informações sobre o projeto de gêmeos. — Este projeto pode melhorar a cerimônia de vocês e torná-la ainda mais significativa. Espero que o levem a sério e estou à disposição se alguém precisar de mais informações.

Laura queria que seu *bat mitzvah* fosse individual e significativo, não apenas uma grande festa, embora com certeza quisesse que essa parte fosse divertida. Ela havia passado muito tempo pensando no que esse evento realmente significava para ela e queria mostrar que o levava a sério. Foi aí que teve a ideia de angariar dinheiro para a África. Ela havia lido sobre a importância da água potável para a população da África. Crianças con-

traíam doenças terríveis na água suja, mulheres e crianças gastavam horas por dia indo e voltando de suas casas para o poço que tinha água limpa para beber. Laura decidiu que uma maneira de fazer algo importante seria angariar dinheiro para mandar para a organização African Well Fund. Ela estava animada com o projeto e quase todo dia, depois da escola, ia de porta em porta recolhendo dinheiro em seu bairro e fora dele. Depois de dois meses, havia juntado quase mil dólares. Ela enviou o dinheiro para a organização africana sabendo que havia feito algo de valor. Ela até recebeu uma carta de agradecimento de algumas crianças da África, que ela enquadrou e pendurou na parede do seu quarto. Era isso que seu *bat mitzvah* significava para ela, tratava-se de olhar para frente e ver como poderia contribuir com a sua comunidade, não se tratava de olhar para o passado. "Não podemos mudar o que aconteceu no passado", ela pensou. "Mas podemos mudar o futuro".

Além disso, Laura já sabia bastante a respeito do Holocausto, ela havia feito um trabalho sobre ele um ano antes, quando estava na sexta série. O projeto foi difícil. Todas as vezes que Laura lia sobre alguém que havia morrido na guerra, sentia um nó no estômago e quase não conseguia ler até o final. Era horrível demais pensar que havia crianças que nunca iriam passar por momentos felizes ou ter as coisas que ela tinha a sorte de ter. Laura havia terminado o projeto — com dificuldade — e já bastava. Na sua cabeça, não havia mais nada a aprender. Ela se perguntava como é que pesquisar mais uma criança que morreu acrescentaria alguma coisa ao seu *bat mitzvah*. A guerra era passado para ela.

Talvez ela pudesse pedir que seus pais ligassem para o rabino e explicassem que ela já havia feito um projeto importante para a comunidade com a angariação de fundos para o poço *e* tinha muito pouco tempo para assumir mais uma tarefa. Mas uma parte de Laura não queria levar a situação para

os seus pais. Lá no fundo, ela sabia que eles adorariam a ideia da tarefa e, o que é pior, poderiam até piorá-la, insistindo que ela fizesse mais pesquisa, entrasse em contato com mais pessoas, escrevesse cartas para museus. Não, era melhor não envolvê-los, ela teria de lidar com isso sozinha e o primeiro passo era tentar falar com o rabino.

A aula estava terminando, Laura jogou os papéis rapidamente para dentro da sua mochila e aproximou-se do rabino na frente da sala.

— Com licença, rabino Gardiner?

O rabino estava juntando seus livros. Ele parou, apoiou-se no canto da sua mesa e tirou os óculos.

— Vou ter um problema com esse projeto — Laura começou a dizer. — Sabe, tenho tanto trabalho para fazer agora e meu *bat mitzvah* já é daqui a três semanas. Estou muito ocupada, ocupada demais para assumir outra coisa.

Sua desculpa soou pouco convincente, e chorosa, até para ela mesma. Certo, ela pensou desesperada, esta abordagem não está funcionando, tenho de tentar outra coisa. Laura respirou fundo e continuou.

— Eu escolhi com meus pais que tipo de projeto eu faria para o meu *bat mitzvah*.

"Essa explicação está melhor", ela pensou. "Escolha" parecia mais adulto.

— Por isso, angariei dinheiro para a África. Além disso — ela acrescentou —, não conheço ninguém que tenha passado pelo Holocausto... não pessoalmente.

Os pais de Laura haviam nascido no Canadá, seus avós também. Havia parentes distantes, que ela não conhecia, vindos da Rússia ou outro país parecido. Mas fazia séculos. Bem, talvez não séculos, mas bastante tempo. Laura não tinha laços com o Holocausto, somente a história que havia aprendido.

— Então, como você vê, embora seja muito importante lembrar o Holocausto, não acho que seja o projeto certo para mim.

Sua voz diminuiu e ela ficou parada, quieta, em frente ao rabino.

Certamente ele entenderia a situação. Ele era um homem sensato. Na verdade, o rabino Gardiner era muito legal. Ele era jovem, mais do que o seu pai, e até tocava guitarra. Não se parecia com aqueles rabinos velhos que ela viu em outras sinagogas, nem com aqueles de fotografias antigas, com longas barbas brancas fofas e ombros curvados. O rabino Gardiner entendia os jovens, ele iria entender a situação de Laura.

O rabino a olhava atentamente com a cabeça tombada para um lado. Por fim, recolocou os óculos, pegou um pedaço de papel na sua mesa, olhou para ele por alguns instantes e, depois, olhou para Laura.

— Eu entendo o que você está dizendo — ele falou — e não quero que pense que não valorizo o quanto você está ocupada ou o quanto de trabalho você já fez. Mas quero que você me faça um favor.

Laura esperou ansiosa enquanto o rabino continuava.

— Há uma mulher com quem quero que você fale. O nome e o telefone dela estão neste papel.

— Quem é ela? — Laura perguntou ao aceitar o papel que o rabino segurava à sua frente.

— Ela é uma pessoa muito interessante, uma velha senhora que pode dar a você algumas informações sobre o assunto. Eu gostaria que você a visitasse. Só uma vez — ele acrescentou. — Se não quiser levar isso adiante depois de uma visita, eu entenderei. Mas prometa que irá uma vez e escutará o que ela tem a dizer.

Laura olhou para o papel que segurava e, depois, voltou a olhar para o rabino. Ela detestava mistérios e o rabino estava sendo especialmente enigmático.

— Ela estará esperando sua ligação. Você irá?

Laura suspirou. Não havia mal em fazer uma visita, isso ela podia aguentar. Ela concordou com a cabeça, jogou a mochila nos ombros e saiu.

Capítulo dois

— Explique essa história de "gêmeos" para mim de novo. Você não teve realmente uma irmã gêmea na Segunda Guerra Mundial. Não é uma experiência estranha de vida após a morte, é?

Laura estava caminhando para a escola com sua melhor amiga, Nix — Nicole Wilcox. Elas se conheciam havia anos, desde o jardim de infância, mas haviam se tornado grandes amigas somente naquele ano, na sétima série. O primeiro dia de aula foi um pesadelo para Laura, ela não conseguia encontrar o caminho certo para sua primeira aula em meio ao labirinto de corredores e escadas e foi Nix quem a socorreu.

— O truque é seguir um aluno da nona série e fazer de conta que você conhece bem o lugar. É tudo uma questão de atitude — Nix disse, confidente, ao pegar o braço de Laura e guiá-la na direção certa. Isso havia selado a amizade delas e, desde aquele dia, eram inseparáveis. Nix era alta, loira e bonita — todos achavam isso —, com olhos cinza azulados brilhantes. E, ao lado de Laura, com seu cabelo liso e olhos escuros, Nix era o oposto. Era atlética, enquanto Laura era estudiosa. Falava tudo o que pensava e era tempestuosa, enquanto Laura era quieta e tímida. Porém, como amigas, eram uma combinação perfeita, uma completava a personalidade da outra.

— Vocês são como manteiga de amendoim e geleia — o pai de Laura sempre brincava. — São boas sozinhas, mas ainda melhor juntas.

— É claro que não é uma experiência estranha — Laura suspirou, olhando seu relógio para não se atrasar para a aula.

Ela tinha a mania de sempre ser pontual, o que deixava Nix (que sempre se atrasava) louca!

— Não é uma irmã gêmea de sangue. É só uma maneira de lembrar alguém que morreu durante a guerra.

Nix concordou com a cabeça.

— Aquele veterano veio contar para nós, ano passado, sobre quando lutou na Segunda Guerra Mundial. Ele recebeu uma medalha por participar do desembarque na Normandia, na França. Ele disse que ficou longe de sua casa e de sua família por mais de um ano. Mas era tão romântico, lembra? Ele sempre soube que voltaria para a sua esposa, mesmo que fosse perigoso e que ele tivesse levado vários tiros.

Nix jogou a cabeça para trás em uma pose dramática.

— Certo. A diferença é que estou falando de *crianças* judias que estiveram no meio da guerra, não há nada de romântico nisso. Elas nunca tiveram a chance de lutar, nem seus pais. A maioria foi morta.

A família de Nix era anglicana. Às vezes, Laura sentia que tinha de explicar o básico da história e da religião dos judeus para a amiga. Bem, mas Nix geralmente tinha de explicar a ela os costumes anglicanos também. A primeira vez que Laura entrou em uma igreja foi quando teve de ir à missa da meia-noite com a família de Nix no Natal anterior. A igreja estava escura, a não ser por dezenas de velas que lançavam sombras douradas nos bancos e no altar. Era lindo e, quando a missa acabou, Laura foi para a casa de Nix admirar sua árvore de natal, enfeitada com sinos prateados, luzes coloridas e cordões de lantejoulas. A senhora Wilcox explicou que alguns dos enfeites estavam em sua família havia mais de cinquenta anos.

— Eu sei o que aconteceu na guerra — disse Nix. — Eu li *O diário de Anne Frank* no verão passado. Odeio pensar em como deve ter sido para Anne não poder sair daquele esconderijo por dois anos. Eu ficaria louca se não pudesse sair. E não pude acreditar quando os soldados invadiram o esconderijo e prenderam toda a família dela. Quero dizer, estava tão perto do

fim da guerra e eu realmente pensei que Anne conseguiria escapar. Quase chorei quando li o que aconteceu a eles.

"Ei, você quer ir à minha casa depois da aula hoje? Eu ganhei um escâner incrível para o meu computador com um programa novo que pode fazer quase qualquer coisa com as fotografias. Podemos colocar bigodes nas pessoas!"

Laura olhou para a sua amiga e sorriu. Ela estava surpresa em ver como era fácil para Nix falar sobre a Anne Frank em um instante e computadores no instante seguinte.

— Não posso — ela disse. — Tenho de visitar uma senhora que me dará informações sobre o projeto de gêmeos.

Laura ainda não tinha certeza se seguiria em frente com o projeto, mas, na noite anterior, como prometera ao rabino, havia ligado para a senhora Mandelcorn, aquela cujo nome estava no papel que recebeu. Laura havia ficado envergonhada durante a ligação porque a senhora Mandelcorn não parecia entender o que ela perguntava. Na verdade, Laura também não a entendia. Embora o inglês daquela senhora fosse muito bom, ela tinha um sotaque forte e Laura havia se esforçado para entender tudo o que ela dizia. Assim, houve vários momentos de silêncio, enquanto uma esperava a outra falar. Laura teve cada vez menos confiança de que seria útil visitar aquela mulher.

— *Venha até o meu casa parra conversarrr amanhã* — a senhora Mandelcorn havia dito, por fim.

Seria mais uma noite em que Laura ficaria fora até tarde em vez de fazer as coisas que *devia* fazer, mas que escolha ela tinha? Uma promessa era uma promessa, principalmente uma feita para um rabino.

— Aonde você vai hoje e por que não me convidou?

Laura e Nix viraram-se quando seu amigo, Adam Segal, se aproximou. Se Nix era a melhor amiga de Laura, então Adam era o seu melhor amigo,

mais como um irmão na verdade. Laura explicou rapidamente o projeto para Adam e a visita que faria à senhora Mandelcorn.

— Não sei o que fazer a respeito — disse Laura. — Já fiz um projeto para o meu *bat mitzvah* e não tenho tempo de fazer mais um.

— Parece legal — disse Adam tirando uma mecha de cabelo castanho da testa e ajustando os óculos.

Ele tinha orgulho dos óculos azuis redondos ao estilo de John Lennon, que eram sua marca registrada. Na verdade, Adam era um gênio quando se tratava dos Beatles, uma enciclopédia ambulante de fatos e curiosidades. Onde e quando cada música havia sido apresentada, estatísticas de cada membro da banda, ele sabia tudo. Ele sempre brincava que deveria ter nascido na década de 60.

— Meu avô viveu o Holocausto — Adam disse.

Laura não sabia disso. Ela olhou para o amigo.

— É — ele continuou —, ele tinha apenas quinze anos quando a família toda foi mandada para um campo de concentração. Meu avô foi o único a sobreviver.

Laura não queria ouvir aquilo.

— O que isso tem a ver com a minha visita à senhora Mandelcorn? — ela perguntou, conferindo a hora no relógio novamente, impaciente.

— Não, presta atenção — Adam continuou —, ele conversa sempre comigo sobre o que aconteceu a ele e à sua família. As histórias dele são incríveis... e um pouco assustadoras.

Laura se perguntava se isso era um dos motivos da sua atitude. Ela também estava com medo de remexer ainda mais em um momento da História quando a vida dos judeus foi tão assustadora? As fotos que viu ao pesquisar o seu projeto sobre o Holocausto foram suficientes para fazê-la perder o sono por dias. Talvez o motivo da sua relutância em fazer o projeto de gêmeos não fosse somente por ela estar ocu-

pada, nem já ter feito um projeto para a comunidade, nem a data do seu *bat mitzvah* estar chegando. Talvez fosse também porque a ideia de encontrar uma criança da sua idade que morreu a entristeceria e assustaria demais.

Laura balançou a cabeça. Não, não podia ser isso. Ela havia feito uma escolha para o seu *bat mitzvah*, ela lembrou a si mesma. Trabalharia em metas para o futuro e não desenterraria coisas do passado.

Adam não desistia.

— Meu avô sempre diz o quanto é importante conversar sobre o que aconteceu aos judeus durante a guerra,

— Você não me ouviu? — Laura achava que fosse explodir. — Eu já fiz o meu projeto. Foi muito interessante, mas deu muito trabalho. É diferente de simplesmente conversar com alguém.

Laura encarou Adam. Ele parecia o rabino Gardiner falando... ou o pai dela. Ninguém entendia a pressão que ela estava sofrendo?

— Você só precisa dar uma chance a tudo isso — Adam disse. — Nunca se sabe o que vai acontecer.

Ele jogou a cabeça para trás e começou a cantar "*todos nós queremos mudar o mundo*". Depois, parou e sorriu.

— Foi o que John disse.

O sinal para a aula estava prestes a tocar. O ritmo no pátio da escola estava acelerando. Uma multidão de meninos e meninas estava se empurrando pelas portas para chegar à primeira aula. Adam fez um sinal da paz, subiu as escadas e entrou no prédio.

— Ligue para mim — Nix disse.

Ela desapareceu em meio aos alunos que se empurravam para chegar à aula.

Laura ficou observando a confusão por mais alguns instantes. Ela precisava se livrar daquela sensação que estava pesando sobre ela. Talvez o

encontro com a senhora Mandelcorn fosse bom. Talvez ela tirasse nota máxima nas próximas provas e tarefas. Talvez ela ganhasse na loteria e se multiplicasse em dez!

Capítulo três

Laura remexeu-se desconfortavelmente enquanto sua mãe continuava a falar com ela no caminho para a casa da senhora Mandelcorn.

— Pode ser difícil entender essa senhora no começo, mas você irá se acostumar com a maneira dela de falar — sua mãe disse. — É como a minha tia Yvonne. Hoje em dia, nem reparo mais no sotaque alemão dela.

Sua mãe havia insistido em levá-la de carro para o apartamento onde a senhora Mandelcorn morava, embora Laura quisesse pegar um ônibus ou ir de bicicleta. Um longo passeio de bicicleta ajudaria a limpar sua cabeça para aquele encontro, mas sua mãe não desistiu. Laura acabou cedendo.

Laura pensou novamente que, quanto menos sua mãe se envolvesse naquele projeto, melhor seria. Não que ela não ficasse agradecida pelas coisas que sua mãe fazia. A mãe de Laura era a rainha das caronas, levando sua filha e os amigos para onde quer que quisessem ir, quando quisessem ir, muitas vezes remarcando seus próprios compromissos para se adequar aos deles.

— Às vezes, sinto que nasci com um volante nas minhas mãos — ela costumava brincar.

Laura gostava de passar o tempo com sua mãe. Elas duas adoravam ir assistir àqueles filmes bobos de meninas que seu pai nunca queria ver. E sua mãe era ótima para conversar... na maioria das vezes, desde que não se envolvesse demais nas coisas. E, bem como Laura temia, sua mãe estava começando a transformar o projeto de gêmeos em algo maior do que Laura queria que fosse.

— Vou visitar essa senhora uma vez — Laura insistiu, depois de ter explicado tudo aos seus pais e mostrado a eles a informação dada pelo rabino

Gardiner. — Talvez ela tenha uma história sobre uma criança do Holocausto para me contar. Depois, vou juntar isso com outras coisas do meu projeto do ano passado.

E seria assim, simples e direto. Mas a mãe de Laura tinha outras ideias.

— Seria maravilhoso se pudéssemos fazer uma pesquisa na árvore genealógica da minha família — ela disse, com entusiasmo. — Tenho parentes distantes na Áustria e na República Tcheca, primos da sua avó já falecida. Eles e os pais deles eram sobreviventes do Holocausto. Agora percebo que nunca falamos o suficiente com você sobre essa época — ela acrescentou, com mais doçura, olhando pelo espelho para a irmã de Laura, sentada quieta no banco de trás. — Ninguém da nossa família mais próxima esteve envolvido. Seus avós nasceram aqui e nunca passaram pela guerra na Europa. Mas percebo que essa história é muito importante para todos nós. Não tenho contato com esses parentes há anos, mas, talvez, se você escrevesse para eles e explicasse o que está fazendo, pudesse escrever alguma coisa sobre eles junto com essa nova história...

— Mamãe, pare! — Laura insistiu. — Meu *bat mitzvah* é daqui a algumas semanas e essa é apenas uma visita!

— Voltarei daqui a uma hora — a mãe de Laura voltou a falar enquanto parava na entrada do pequeno prédio. — Levarei Emma ao shopping para comprar sapatos.

A irmãzinha de Laura gritou do banco de trás da van:

— Quero tênis de corrida com luzinhas.

Uma mecha dos seus cabelos escuros e encaracolados pulava todas as vezes que o carro passava por um desnível na rua.

Laura sorriu.

— Cor de rosa, Em?

Emma concordou com a cabeça animada.

— Rosa e amarelo. E sorvete depois.

— Somente se você se comportar, Emma. É o nosso acordo — a mãe de Laura disse, cansada. — É aqui mesmo?

Laura olhou o pedaço de papel.

— Sim — ela disse. — Rua Morton, número 250, apartamento 301.

Era um prédio modesto em uma parte calma da cidade.

— Quer que eu suba para verificar? — sua mãe perguntou.

Laura balançou a cabeça.

— É o lugar certo. Eu ligo se tiver algum problema.

Laura detestava quando sua mãe era superprotetora, tratando-a como se fosse criança, como a Emma.

— Lembre-se de ser bem educada — sua mãe disse. — E paciente, mesmo se não entender tudo o que ela disser no começo.

— Eu sei, eu sei — Laura queria que sua mãe estacionasse o carro, parasse de falar e a deixasse ir em frente com aquela visita.

— E lembre-se de agradecer a ela por tirar um tempo para conversar com você.

— Tchau, mamãe. Divirta-se, Emma.

Laura pegou sua mochila e saiu do carro. Ela esperou até que sua mãe saísse com o carro da entrada do prédio, antes de se aproximar da porta. Laura olhou os nomes no quadro antes de apertar o interfone ao lado do número 301. Alguns segundos se passaram e, em seguida, uma voz baixa saiu do interfone.

— Pois não?

— Ah... oi. Senhora Mandelcorn? É Laura Wyman. Eu liguei para a senhora ontem.

Passaram-se mais alguns segundos e o interfone fez um barulho.

A porta do apartamento da senhora Mandelcorn estava aberta quando Laura saiu do elevador no terceiro andar. Não havia ninguém à vista. Laura parou e, depois, bateu na porta aberta.

— Olá. Senhora Mandelcorn? Ahn... é a Laura.

"E agora?", ela pensou ao espiar com cuidado o apartamento vazio.

— Sim, olá — uma voz veio de outro aposento. — Entre, por favor. Ainda não estou pronta. Fique à vontade, estarei aí em um instante.

Laura se perguntou por que as pessoas sempre estavam atrasadas, deu um suspiro e passou pela porta, olhando ao seu redor. O apartamento estava decorado com muitos sofás, poltronas e uma mesa de jantar e um aparador de carvalho esculpido. Porém, além dos móveis, o apartamento estava cheio de esculturas de madeira, uma coleção de vasos com ou sem flores, estátuas de porcelana e estatuetas de todos os tamanhos e formas. Era como entrar em uma daquelas lojas de antiguidades de que sua mãe tanto gostava, transbordando de badulaques. Duas estantes de livros enormes dominavam um canto da sala. Elas se inclinavam sob o peso de dezenas de livros, de capa dura ou não, encostados uns nos outros ou por cima uns dos outros como passageiros em um metrô lotado. Um velho piano vertical ficava em um canto, enfeitado com fotografias em porta-retratos dourados, prateados e de madeira. Fotografias parecidas cobriam as paredes do apartamento, junto com quadros e desenhos feitos a lápis. Laura parou em frente a um desenho especialmente bonito, de um pôr do sol perto de um lago. Ele ocupava sozinho uma das paredes.

— Temo que eu seja uma colecionadora de *tchotchkes.*

Laura se virou e viu a velha senhora que entrou na sala.

— Sinto muito por ter me atrasado. É um péssimo hábito que eu tenho. Estou muito feliz por conhecê-la, Laura.

A senhora Mandelcorn vestia calças pretas modernas e uma malha vermelha. Seus cabelos curtos estavam cuidadosamente penteados para trás das orelhas. Pela voz ao telefone, Laura havia imaginado uma velhinha fraca e frágil, mas a senhora Mandelcorn parecia forte e vigorosa, mesmo

sendo baixinha. Ela tinha um sorriso carinhoso que iluminava todo o seu rosto e seus olhos brilhantes.

— Você conhece essa palavra, *tchotchkes*? — ela perguntou, balançando o braço pela sala.

Laura balançou a cabeça. Parecia que a senhora Mandelcorn havia dito "*êssa palavra*". Laura teria de prestar atenção para entender o que aquela mulher dizia. A senhora Mandelcorn deu uma risada baixa e seus olhos escuros curvaram-se, parecendo duas dobrinhas.

— Enfeites. Coisinhas pequenas. Eu não tinha muitas coisas quando era criança e agora já compensei bastante esse problema.

Laura olhou novamente para as fotografias na parede.

— Meus filhos — disse a senhora Mandelcorn, como se lesse os seus pensamentos. — Meu filho e minha filha estão casados e eu tenho cinco netos — ela disse, orgulhosa. — Eles não me visitam muito, mas não estou reclamando — ela acrescentou apressadamente. — Sou abençoada por tê-los. Venha se sentar, Laura.

Quando a senhora Mandelcorn disse o nome dela, era prolongou o "r", como se fosse uma nota musical: Laurrra. Era lírico e doce.

A senhora Mandelcorn tirou uma manta de tricô que havia sido jogada casualmente sobre o sofá e convidou Laura a se sentar.

— Eu fiz um bolo de chocolate. Todos os jovens gostam de chocolate, certo?

Laura concordou com a cabeça e sorriu. Ela aceitou uma fatia de bolo e um copo de limonada.

— Eu adoro fazer bolos, mas não tenho muitas oportunidades de fazê-los atualmente. Quantos bolos uma velha senhora como eu pode comer?

Laura olhou ao seu redor.

— A senhora mora sozinha?

A senhora Mandelcorn balançou a cabeça negativamente.

— Meu marido, Max, morreu há muitos anos. Foi quando a minha irmã mais nova veio morar comigo. Ela não está aqui agora — ela acrescentou.

— Eu também tenho uma irmã mais nova — disse Laura, esforçando-se para continuar a conversa. — Ela tem apenas cinco anos.

A senhora Mandelcorn sorriu.

— Minha irmã é minha melhor amiga. Não posso imaginar minha vida sem ela.

Laura franziu as sobrancelhas. Havia dias em que ela desejava ser filha única e não ter Emma em sua vida. Sua irmãzinha era fofa quando se comportava, mas, às vezes, era chorona e exigente. Ela tinha um rostinho de porcelana que todo mundo amava e usava seu charme adorável para conseguir vantagens sempre que podia. Laura ficava furiosa quando seus pais cediam às vontades de Emma.

— Você tem muitos livros — disse Laura, tentando manter o papo. — Deve adorar ler.

Os olhos da senhora Mandelcorn se iluminaram.

— Não há horas suficientes no dia para eu ler tudo o que gostaria de ler. Eu já fui professora, sabia? Aprendi inglês quando era criança, principalmente com livros, e ensinei para outros adultos que, como eu, vieram da Europa depois da guerra. Você consegue me imaginar dando aulas de inglês com este sotaque?

A senhora Mandelcorn deu risada de novo. Laura estava começando a deixá-la à vontade.

— A senhora também passou pela guerra?

Laura se arrependeu dessas palavras assim que elas saíram da sua boca. A senhora Mandelcorn ficou em silêncio e uma sombra passou pelos seus olhos. Seus ombros se curvaram e ela virou o rosto, olhando para o nada por um momento. Claramente, aquele era um assunto delicado.

— Bem — disse Laura, esforçando-se para quebrar o silêncio —, como eu expliquei pelo telefone, o rabino Gardiner me deu o seu número e disse que você poderia ter alguma informação para mim. Sabe, eu tenho de fazer um projeto...

A senhora Mandelcorn levantou a mão.

— Sim, Laura, eu sei por que você está aqui e tenho uma coisa para você.

Sem dizer mais nada, a senhora Mandelcorn levantou-se e saiu da sala. Laura queria poder ir embora também. Aquela mulher era doce e gentil, mas havia tristeza nela. Ela fazia Laura se lembrar da tia de sua mãe, Yvonne, de quem havia falado no carro. A tia Yvonne nunca mais foi a mesma depois da morte do marido. Ela chorava sempre que alguém falava o nome dele. A senhora Mandelcorn parecia igual. Ela tentava disfarçar a melancolia com um sorriso, mas Laura podia sentir aquela tristeza constante e ela era intensa.

Instantes depois, a velha senhora voltou.

— Acho que tudo o que você quer saber está aqui.

Com isso, ela mostrou um pequeno livro. Laura estendeu a mão, tocou nele e, rapidamente, recolheu a mão. Havia algo que a incomodava, ela não sabia o que era.

— Não tenha medo — disse a senhora Mandelcorn, vendo a hesitação de Laura e empurrando o livro na sua direção. — Pegue-o.

Laura pegou o livro e o virou em suas mãos, segurando-o como se fosse um frágil pedaço de vidro. Ele estava encadernado com uma capa de couro macia de um marrom forte, que era brilhante em algumas partes e gasta e áspera em outras, como se alguém o tivesse segurado exatamente da mesma maneira por muitos anos. Laura desatou o nó do cordão que rodeava o livro, abriu na primeira página e olhou a letra de alguém jovem. Estava escrito em um idioma estrangeiro, mas, na parte de baixo da página de título estava impresso, em inglês: *O diário de Sara Gittler, Gueto de Varsóvia, 1941-1943*.

— De quem é? — Laura perguntou.

— Pertenceu a uma menina — a senhora Mandelcorn respondeu. — Foi escrito em polonês, mas eu traduzi para o inglês há muito tempo. O que eu aprendi de inglês quando criança foi útil, não acha?

"Outro mistério", Laura pensou.

— Eu não entendi...

— Leve-o para casa com você — interrompeu a senhora Mandelcorn. — O rabino me disse que você estava procurando uma história, uma criança que viveu o Holocausto para ser lembrada. Talvez encontre alguma coisa aqui que ajude.

Pouco depois disso, Laura despediu-se e saiu do apartamento.

Sua mãe estava esperando do lado de fora quando Laura saiu. Havia se passado uma hora inteira? Pareciam minutos. Laura ficou calada no caminho de volta para casa. Sua mãe tentou fazer algumas perguntas, mas ela não respondia. No final, Emma compensou as duas, ela tagarelou feliz sobre seus novos tênis de corrida durante todo trajeto. Daquela vez, Laura estava feliz por ter sua irmã como distração.

Quando já estava em casa, Laura rapidamente escapou para o seu quarto, fechando a porta e se afundando na cama. Ao fundo, ela podia ouvir Emma causando confusão para não ir para a cama. Sua mãe estava conversando com ela, tentando fazer algum acordo: duas histórias, três abraços, um copo d'água e, depois, luzes apagadas. Mas Emma não aceitava nada daquilo e continuou a resmungar até que sua mãe elevou a voz. O telefone de Laura tocou, provavelmente Nix ou Adam ligando para perguntar da sua visita à senhora Mandelcorn. Porém, Laura ignorou o toque. Ela tentou bloquear todos os sons e distrações da sua casa. Encarou o livro marrom.

Por que a hesitação em abri-lo? Era o mesmo sentimento de incerteza que teve quando o rabino Gardiner falou pela primeira vez sobre o projeto de gêmeos e quando Adam falou sobre o seu avô. E Laura estava começando a perceber que não era apenas a sensação de estar cansada e cheia de trabalho. A verdade era que ela sempre tinha muitas atividades para fazer e era bem sucedida em todas. Não era esse o problema. O que a estava impedindo de mergulhar naquele projeto estava lá, nas páginas daquele livro: um frio que crescia na sua barriga por conta do medo de que o que havia lá dentro seria demais para ela aguentar. Ela estava mesmo pronta para pular naquela história quando parecia que ela estava se jogando de uma grande altura sem rede de proteção?

Laura tremeu. Ela tinha de afastar aquela sensação. Se Adam estivesse lá, ele a ajudaria a deixar isso para lá e parar de ser tão melodramática. Ele citaria alguma letra dos Beatles, como "*escolha uma música triste e torne-a melhor*", ou algo assim. Adam sempre dizia que Laura se preocupava muito com as coisas, quando podia resumir a vida em quatro palavras: não é grande coisa. Pensando nisso, Laura sorriu e finalmente abriu o livro de couro. Ela folheou as páginas, parando de vez em quando para olhar o texto. A menina que havia escrito aquilo tinha uma caligrafia perfeita, as letras eram regulares e meticulosamente desenhadas. Quase não havia palavras riscadas. As datas estavam escritas no início de várias páginas e, nas margens, havia desenhos simples: um pequeno gato, o que parecia um pedaço de pão e uma braçadeira com a estrela de Davi, o símbolo da religião judaica. Por fim, Laura abriu nas páginas finais do diário, as páginas escritas à máquina que a senhora Mandelcorn havia adicionado. Suspirando fundo, Laura começou a ler.

16 de julho de 1941

Eu amo escrever. Acho que venho escrevendo durante toda a minha vida... Histórias, poesias, músicas. Sempre que eu ficava animada com uma festa de aniversário ou um pôr do sol, tentava escrever como eu me sentia. Sempre que ficava brava com meus pais ou professores, eu buscava escrever como forma de expressar esses pensamentos, que são muito complicados de dizer em voz alta. Mas, a verdade é que minha vida ficou tão terrível que não tenho sentido vontade nenhuma de escrever. Eu estava evitando meu diário, mas nunca conseguiria parar de escrever para sempre. E se houve algum momento em que eu precisei escrever as coisas, foi este.

Estou aqui no gueto há seis meses, mas parecem mais seis anos, seis décadas, uma eternidade! Quando os muros foram concluídos e todos foram trazidos para dentro, tivemos a sorte de encontrar um pequeno apartamento para nós seis. Algumas famílias têm de dividir o espaço com estranhos. Foi o que aconteceu com a minha amiga Deena e seus pais. Estão morando com um casal de idosos e Deena diz que o senhor ronca e mal fala com ela. Deena diz que eles estão espremidos como os picles que a avó dela costumava colocar em vidros, um ao lado do outro até que não houvesse mais espaço.

Pelo menos, nós pudemos ficar juntos. E "nós" significa meus pais, meu irmão David, minha irmãzinha Hinda e minha avó, bubbeh. Nós seis estamos apertados em um apartamento com apenas dois aposentos aqui na Rua Wolynka, número 28, perto da Rua Zamenhofa. Eu divido um quarto com bubbeh. Hinda fica com mamãe e tateh porque é a mais nova. David dorme na pequena cozinha, ele tem uma pequena cama perto do fogão. Porém, em muitas noites ele não fica lá. Ele sai e ninguém sabe aonde vai.

David tem dezesseis anos. Ele tem cabelos loiros como o sol e olhos azuis como a mamãe. Mas seu rosto é cheio de sombras. É isso que tateh diz quando eu pergunto a ele por que David parou de falar comigo. Tateh diz:

— O humor de David é como um dia nublado com tempestades no horizonte.

Ele diz que a raiva de David passará e "seu temperamento luminoso reaparecerá". Mamãe diz que é apenas uma fase quando ele fica quieto e distante, mas David está com raiva há anos, desde que a situação piorou para os judeus em Varsóvia. O pior dia para David foi quando ele não pôde mais ir à escola. Foi mais ou menos quando trocaram o nome da Praça Pilsudski, no centro de Varsóvia, para Praça Adolf Hitler e a declararam proibida para judeus. Eu não acho que a raiva de David vá passar logo.

Hinda tem apenas seis anos. Eu não acho que ela consiga se lembrar de um tempo em que sua vida era diferente de como é agora. Ela sempre viveu com regras para o que pode e, principalmente, o que não pode fazer. Ela só conheceu um mundo em que se deve ter medo de ser judia. Hinda tem uma amiga imaginária que se chama Julia. Ela leva Hinda ao zoológico e ao parque, aos lugares aonde costumávamos ir antes de serem proibidos para os judeus.

E sobro eu. Estou bem no meio, tenho doze anos. Sou baixa, muito baixa se quiser saber, e tenho olhos castanhos e cabelos ondulados e escuros. Sei que me pareço com o meu tateh e não estou reclamando, mas eu queria ser diferente. Não me entenda mal, eu amo meu pai. Ele é gentil, amoroso e forte. Mas eu queria me parecer mais com a mamãe. Todos dizem que ela é muito bonita. Tem traços delicados. Embora seus cabelos estejam mal cuidados atualmente e ela tenha emagrecido tanto, eu ainda vejo o quanto é bonita.

Ninguém diz isso de mim. Dizem que sou inteligente, e eu sou. Eu costumava ser a melhor da sala até ser proibida de ir à escola. Tateh me diz que sou bonita o tempo todo, mas é só porque ele é o meu tateh. Meus traços são agressivos. Minha boca é larga e eu tenho umas sardas irritantes ao redor do nariz e nas bochechas, que são ainda mais fáceis de perceber

Hitler tinha olhos e cabelos escuros.

quando eu estou no sol. Pelo menos uma vez, eu queria que alguém além de tateh me dissesse que sou bonita.

É engraçado. Quando Hitler estava decidindo quem faria parte da sua raça perfeita, ele decidiu incluir somente as pessoas arianas, aquelas com olhos azuis e cabelos loiros, como a maioria dos alemães. Se você tivesse traços morenos, como eu e tateh, não podia fazer parte da raça perfeita de Hitler e estava fadado à discriminação. Mas o fato é que mamãe e David são loiros e delicados, enquanto Hitler tem olhos escuros e um nariz grande. Eu nunca o vi pessoalmente, mas já vi sua foto em pôsteres. Portanto, no mundo perfeito que Hitler imaginou, mamãe e David seriam incluídos e o próprio Hitler seria deixado de fora! Eu sei que não é tão simples. Eu sei que não se trata só de aparência, sei que se trata de quem somos, judeus. E judeus não pertencem ao mundo perfeito de Hitler. Mas é irônico, não acha?

Esses somos nós: David, Hinda e eu. Somos muito diferentes, na idade, no comportamento e na aparência. Mas, no final das contas, há algo parecido em nós três: todos nós estamos tentando escapar dessa prisão de alguma maneira. David foge dos momentos difíceis ficando em silêncio. Hinda escapa usando sua imaginação. Eu escrevo meus pensamentos. Acho que todos nós precisamos de nossa própria fuga.

Sara Gittler

12 de agosto de 1941,

Deena Katz é a minha melhor amiga. Nós nos conhecemos desde sempre, mesmo antes do gueto. Crescemos em casas vizinhas e costumávamos estar na mesma classe na escola. Graças a Deus ela está aqui no gueto. Não consigo imaginar ficar sem uma amiga.

Não nos parecemos em nada. Assim como meu irmão, Deena é alta e loira. Mas meu tateh diz que poderíamos ser irmãs, gêmeas até. Nós terminamos as frases uma da outra, como se soubéssemos o que a outra está pensando. Deena é filha única, por isso, adora dizer aos outros que eu sou sua irmã. As pessoas nos encaram, imaginando como duas meninas tão diferentes podem ser parentes e Deena apenas ri e sai andando.

Deena é uma das pessoas mais talentosas que eu conheço. Ela quer ser uma artista famosa algum dia e aposto que vai conseguir. Ela consegue desenhar qualquer coisa e fazê-la parecer melhor do que na vida real. Eu não sou assim. Eu desenho pauzinhos com círculos em cima e digo que são pessoas.

Quando chegamos ao gueto, Deena disse que havia trazido papel para desenhar e lápis coloridos. Parece que cada uma de nós trouxe algo pessoal e especial para o gueto, algo para lembrar a vida que tínhamos. Eu trouxe alguns dos meus livros favoritos, como *A guerra das salamandras*, escrito por Karel Capek, um escritor famoso da Tchecoslováquia. A história fala de um grupo de salamandras gigantes que ficam cada vez mais fortes até declararem guerra contra os humanos. Acho que já li esse livro tantas vezes que quase posso recitá-lo de cor. Até aprendi um pouquinho de inglês depois de usar um dicionário para ler *Como era verde o meu vale*, de Richard Llewellyn. Dvora, minha prima que mora na Inglaterra, mandou-me esse livro de presente de aniversário. Eu adoro a sonoridade das palavras em inglês. O livro conta a história de uma família que mora do País de Gales, os Morgan. Há sete crianças na família. O mais novo é Huw Morgan, de dez anos, que conta a história. A família é pobre e luta todo dia para sobreviver. Mas todos se amam e é isso que os faz continuar em frente, apesar das dificuldades. Consigo me identificar com os dois livros e as histórias que eles contam. As salamandras são monstros horríveis, iguais aos nazistas, e ficam mais fortes e poderosas a cada dia. E minha família é unida e amorosa, como os Morgan. Apesar de tudo o que aconteceu conosco, dependemos um do outro agora mais do que nunca. Acho que é por isso que gosto tanto desses livros. Eles são próximos do que estou vivendo.

Tateh traz livros de vez em quando. Ele os compra no mercado negro, trocando-os por uma peça de porcelana da mamãe ou um disco antigo.

As pessoas trocavam livros por outras coisas no gueto.

Mamãe sempre fica contrariada. Ela diz:

— Livros não vão encher nossas barrigas vazias.

Ela queria que tateh fizesse trocas para conseguir farinha ou legumes ou até um cachecol quente para o inverno seguinte.

Porém, tateh responde:

— Livros nutrem a alma e isso também é importante. Eu ficarei sem cachecol se a minha Sara puder ler — ele acrescenta e mamãe faz aquele som de "tsc, tsc" e sai andando.

Mas, voltando a Deena. Eu sei que ela está ficando sem papel para desenhar e seus lápis coloridos estão ficando menores.

— Só posso desenhar as coisas mais importantes agora — ela diz. — Não posso desperdiçar papel.

Deena me olha por trás dos óculos. Ela tem que ter cuidado com eles, são os únicos que tem. E, se eles se quebrarem, Deena diz que não importa quantos lápis ela tenha, não conseguirá ver ou desenhar nada!

Se quiser a minha opinião, nenhum dos desenhos de Deena é um desperdício. Todos eles são lindos. Deena me deu alguns, os que eu mais amo. Há um de um pássaro de peito laranja, que ela desenhou quando ele pousou por milagre no pátio há algumas semanas. Eu não via um pássaro havia muito tempo e quase gritei. Mas Deena me fez ficar quieta, tirou seu bloco de desenho e rapidamente desenhou o pássaro enquanto ele posava para ela. Mas o meu desenho favorito é do sol se pondo em um lago azul. Ele me lembra uma parte ao norte da Polônia, perto do Mar Báltico, aonde costumávamos ir nas férias em família no verão. Eu disse a Deena que guardarei seus desenhos para sempre e, quando ela for famosa, irei colocá-los em uma exibição para todos irem ver.

Às vezes, Deena diz que tem de desenhar depressa. Ela diz:

— Tenho de criar o máximo de desenhos possível antes que...

— Não diga isso! — eu grito com ela, sabendo, mesmo antes de as palavras saírem da boca dela, que ela vai dizer que a situação no gueto só piora.

Não quero pensar em nada ruim que possa acontecer e não quero que Deena fale dessas coisas. Mas, lá no fundo, eu entendo o que Deena está tentando dizer, que não haverá tempo para ela fazer as coisas que precisa fazer. Algo vai acontecer e todos nós estamos esperando por isso. Mesmo estando presos dentro dos muros do gueto, não podemos esquecer o mundo que está lá fora. Mas as poucas notícias que chegam até nós sobre o lado de lá dos muros do gueto nunca são boas.

David diz que há guetos como este em Kovno, Minsk, Bialystok e Lviv. Temos parentes em todas essas cidades e fico imaginando se eles, como nós, estão vivendo atrás de muros e portões sem nada para comer e nenhum lugar para ir. Parece que os exércitos nazistas estão ficando mais fortes e poderosos. Eles invadiram outros países, como a Iugoslávia e a União Soviética. Prenderam judeus em Paris e em outras cidades. Ouvimos essas informações das pessoas nas ruas, elas passam as notícias umas para as outras em sussurros. Sei que há rádios no gueto, embora sejam proibidos e, às vezes, mesmo tendo medo de ouvir as notícias, eu me forço a escutar. Preciso saber o que está acontecendo. Talvez, se eu souber, poderei fazer alguma coisa, ajudar de alguma maneira. Tateh diz que tudo irá melhorar logo, mas não acho que ele esteja dizendo a verdade. E, se ele não estiver dizendo a verdade sobre isso, o que mais está escondendo de mim?

Sara Gittler

Capítulo quatro

Laura mal havia começado a ler o diário quando foi interrompida pela sua mãe, que bateu gentilmente na porta do seu quarto e entrou sem esperar uma resposta. Ela não ficou feliz de ver Laura ainda acordada.

— Querida, você precisa desligar as luzes e dormir — ela disse.

— Farei isso, mamãe — Laura respondeu, empurrando o diário rapidamente para debaixo do cobertor. Ela não estava pronta para falar com sua mãe sobre o que estava lendo. — Ainda tenho um trabalho para terminar.

Sua mãe hesitou.

— Você está indo dormir tarde com muita frequência, Laura — ela acabou dizendo, com firmeza. — Você precisa dormir. Agora!

Relutante, Laura virou-se e apagou a luz. Mas ainda ficou acordada por muito tempo depois que sua mãe saiu do quarto. Alguma coisa no diário a atraía, embora ela não soubesse bem o que era. Ela ainda estava nervosa com o que iria descobrir escrito lá e não sabia como lidar com aquilo. Certamente não estava pronta para se comprometer com o projeto de gêmeos. E, ainda assim, da mesma forma que a menina do diário precisava saber mais sobre os fatos da guerra, Laura precisava saber mais sobre aquela garota, sobre Sara. Era um pouco parecido com assistir àqueles filmes de terror que Nix sempre trazia, do tipo que assistimos cobrindo os olhos, querendo saber o que acontecerá, mas com muito medo de que tenha cenas sangrentas.

— Eu tentei ligar para você ontem à noite — disse Adam, no dia seguinte, quando ele e Laura saíram da última aula juntos.

Laura havia corrido de uma aula para outra o dia todo. Era a primeira oportunidade que tinha de falar com Adam.

— E então? Onde você estava? — ele perguntou,

Laura encolheu os ombros.

— Eu estava lendo.

— Só você consegue se perder tanto em um livro que nem atende ao telefone — Adam resmungou, balançando a cabeça e olhando a amiga. — O que foi dessa vez? Fantasia? Mistério? Biografia?

— Uma mistura de tudo, eu acho — Laura respondeu e começou a contar a Adam sobre sua visita à senhora Mandelcorn e o diário que recebeu. — Não sei de onde veio nem como essa senhora o conseguiu — ela explicou. — A menina que escreveu conta como é ser discriminada só por ser judia.

Adam concordou com a cabeça.

— Como o meu avô. Eu disse que as histórias dele são incríveis.

Laura franziu as sobrancelhas.

— Acho que sim.

Ela ainda não conseguia admitir que estava curiosa sobre o diário e atraída pelas histórias, embora não tivesse parado de pensar nelas o dia todo.

— O que você vai fazer? — Adam perguntou.

Os dois desciam lentamente uma escada, esquivando-se da multidão de alunos que corria para sair do prédio no final do dia. Adam trazia a mochila jogada sobre o ombro. Ele carregava um grande livro, balançando-o como se fosse uma guitarra e fingindo estar dedilhando a capa de trás.

— Tenho de descobrir uma maneira de usá-lo no meu *bat mitzvah* — Laura explicou, balançando a cabeça. — Mas não sei como. Não li muito ainda — ela acrescentou.

Porém, pelo pouco que havia lido, Laura já estava reconhecendo que a menina que escreveu aquelas histórias, Sara, não era muito diferente dela. Tinham a mesma idade, tinham irmãos, amigos próximos e gostavam de

algumas coisas parecidas. A exceção a isso era que Laura e Sara viviam em situações radicalmente diferentes. Laura podia ir e vir como quisesse, quando quisesse, mas Sara estava engaiolada como se estivesse em uma prisão, uma prisão dura e cruel.

— Você descobrirá um jeito — disse Adam, pensativo. — Olhe — ele acrescentou —, quando os Beatles se juntaram, eles não sabiam que iriam mudar o mundo da música para sempre.

Laura balançou a cabeça.

— Adam, não estou tentando mudar a História. Estou apenas tentando sobreviver às próximas semanas.

A obsessão de Adam com os Beatles ia longe às vezes.

— Você nunca sabe o que irá acontecer.

Adam fez uma pose com seu livro, girando-o no ar e começando a cantar o refrão da música "Let it be".

Ignorando-o, Laura esticou o pescoço para ver se Nix estava à vista. Deveriam se encontrar depois da aula e ir de bicicleta juntas para casa, mas Laura nunca sabia se Nix a faria esperar muito tempo depois de o sinal ter soado e a escola ter se esvaziado. Não importava o quanto tentasse, Laura nunca pôde curar os atrasos de Nix.

— Eu tentei chegar na hora — Nix sempre dizia —, mas é como comprar sorvete. Quando entro na loja, estou determinada a experimentar um sabor novo, mas sempre acabo comprando um de baunilha com pedaços de chocolate. Você nunca vai conseguir mudar meu jeito.

Por milagre, Laura avistou sua amiga, conversando com outros alunos na porta da frente. Ela ergueu a mão para acenar, mas Nix não a viu.

Adam ainda estava dedilhando seu livro e cantando em voz alta "*surgirá uma resposta, deixe estar*". Seus olhos estavam parcialmente fechados enquanto ele descia a escada. Laura estava prestes a lhe dizer que tomasse cuidado aonde ia quando, de repente, Adam deu um passo em falso e

tropeçou nos degraus. Seu livro caiu dos seus braços, voando pelo ar e indo parar no pé da escada com um baque nas costas de um menino mais velho que estava parado lá.

— Que raios...

O menino virou-se lentamente e encarou Adam. Ele massageou o seu pescoço e olhou ao redor, curvando-se para pegar o livro antes de subir devagar os degraus com dois amigos ao seu lado.

Adam congelou e Laura sentiu seu coração disparar. Era Steve Collins, da nona série. Ele era alto e grande. Como sempre, seus comparsas estavam com ele. Eles eram mais baixos que Steve, mas também eram alunos mais velhos. Os três tinham a reputação de serem durões e cruéis.

— É seu? — Steve perguntou, parando a centímetros do rosto de Adam e segurando o seu livro.

Ele tinha cabelos longos e desgrenhados, divididos ao meio, e usava uma camiseta preta e calças jeans rasgadas.

— Eu... é... eu... — Adam gaguejou e atropelou as palavras. Depois, suspirou fundo e começou novamente.

— Sinto muito. Eu não estava olhando.

— Não estava olhando? — Steve aproximou-se ainda mais de Adam. — Você acha que essa é uma boa desculpa para me acertar com o seu livro?

— Foi um acidente. Eu... eu juro — Adam arrumou os seus óculos com nervosismo. Suas mãos tremiam.

— Não existem acidentes — disse Steve quando seus dois amigos pararam atrás dele.

Aquilo não era bom, pensou Laura. Adam não havia feito nada de propósito, mas ela sabia que garotos como Steve Collins não precisavam de uma desculpa para intimidar os outros. Os poucos alunos que restavam na escola haviam parado, olhando e esperando para ver o que acontecia. Os olhos de Laura encontraram o de Nix no pé da escada, mas ela também

estava congelada no lugar. Adam estava branco como um fantasma. Ele parecia encolher sob o olhar dos três meninos.

— Há algum problema aqui, senhor Collins? — o diretor da escola, senhor Garret, estava subindo a escada na direção dos meninos. Alguém devia tê-lo chamado e foi bem na hora.

Assim que ouviu a voz do senhor Garrett, Steve relaxou o corpo, afastou-se de Adam e virou-se para cumprimentar o diretor.

— Nenhum problema, senhor G. — ele disse, abrindo um largo sorriso. — Este menino deixou cair um livro e eu o estava devolvendo.

Ele jogou o livro para Adam, que mal teve condições de pegá-lo. Adam estava visivelmente trêmulo e ainda pálido.

O senhor Garrett olhou atentamente para Steve e seus amigos e, depois, olhou para Adam.

— Você está bem, senhor Segal?

Adam concordou com a cabeça devagar.

— Estou bem — ele disse.

O senhor Garrett parou, avaliando a situação. Por fim, fez um gesto com a cabeça.

— Então sugiro que vá andando, senhor Collins, e deixe todos irem para casa.

Steve sorriu para o diretor. Antes de sair, ele virou a cabeça para olhar Adam e sussurrou por cima do ombro para que somente ele e Laura pudessem ouvir:

— Babaca — ele zombou. — Tome cuidado.

Depois, abriu um largo sorriso novamente e saiu, com os dois amigos seguindo-o de perto.

— Tem certeza de que está bem? — perguntou o senhor Garrett depois que os meninos mais velhos haviam ido embora.

Adam encolheu os ombros.

— Não foi nada — ele disse.

Laura não se deixou enganar, Adam estava muito abalado e ela podia ver isso.

O senhor Garrett ficou mais alguns instantes parado. Depois, acenou com a cabeça e foi embora.

Por um momento, nem Laura nem Adam se mexeram. Os pensamentos de Laura estavam em alta velocidade, martelando o incidente e o que poderia ter acontecido se o senhor Garrett não tivesse aparecido. Por fim, ela se virou para olhar Adam.

— Eu tinha certeza de que ele iria dar um soco em você ou algo assim — ela disse, segurando o braço dele.

Adam estava suando e respirando com dificuldade, como se tivesse acabado de terminar uma corrida.

— Sim, foi quase.

— Adam, por que você não disse nada para ele? — Nix havia subido as escadas correndo para chegar aos amigos.

— Como o quê? — Adam perguntou.

— Como dizer para ele se mandar. Você não pode deixar pessoas assim o provocarem — Nix respondeu.

Adam encolheu os ombros.

— Não... É melhor ignorá-los. Não foi nada — ele acrescentou novamente. — Você ouviu o que ele disse para mim? — ele perguntou e, depois, repetiu a última ameaça de Steve.

— Aqueles garotos agem como se fossem durões. Ele fala esse tipo de coisa para todo mundo que entra no caminho dele. Não se preocupe muito com isso — disse Nix.

Adam, Nix e Laura desceram as escadas e saíram da escola. O vento refrescante da tarde era justamente do que Laura precisava. Ela havia se sentido sufocada dentro da escola. Mas ao ar livre ela recuperou a respira-

ção normal e tentou relaxar. Apesar do que Nix disse, tudo aquilo ainda era assustador para ela. Ela sabia que aqueles meninos tinham uma reputação de valentões na escola, geralmente incomodando alunos menores e mais fracos que não sabiam se defender. Mas aquela foi a primeira vez em que esteve tão perto de alguém que foi ameaçado. Laura olhou para Adam, ele ainda estava pálido.

Os pensamentos de Laura ainda estavam em alta velocidade. Em um instante, tudo estava normal, tão previsível. Ela estava rindo e conversando com Adam sem se preocupar com a segurança dela ou do seu amigo. No instante seguinte, Adam era ameaçado e ela se sentia impotente para fazer alguma coisa a respeito. Laura queria pegar aquele incidente, amassá-lo em uma bola e jogá-lo na lata do lixo. Seria bom se fosse tão simples.

— Vou passear um pouco sozinha — Laura disse quando ela e os seus amigos chegaram ao suporte de bicicletas. Eles haviam conversado pouco desde a saída da escola. — Eu ligo para você depois — ela acrescentou, tirando o capacete da sua mochila e olhando para Adam.

— Lembre-se de que iremos fazer compras amanhã — disse Nix.

Laura acenou por cima do ombro, mas não respondeu. Fazer compras era a última coisa na sua cabeça. Ela precisava ir para casa, ela precisava ficar sozinha em um lugar onde pudesse pensar com mais clareza sobre o que aconteceu e o que aquilo significava. Talvez houvesse mais similaridades entre a vida dela e a vida de Sara do que ela havia percebido a princípio. Laura ficava assustada ao pensar nisso. No entanto, também ficava mais desesperada para conhecer a Sara. Laura precisava fechar a porta do seu quarto e continuar a ler.

27 de agosto de 1941

Os muros do gueto que cercam o nosso apartamento e os outros prédios são assustadores. Eles foram construídos por homens judeus, inclusive tateh e David. Meu tateh já teve mãos macias, mas eu as vi ficarem ásperas e machucadas e elas sangravam sempre. Tateh nunca reclamou do trabalho, mas, tarde da noite, quando ele pensava que eu não estava vendo, eu assistia à mamãe cuidar dos cortes e bolhas. Somente nesses momentos eu o via se encolher de dor e se afastar e eu imaginava o quão duro devia ser seu trabalho.

Homens judeus construíram os muros do gueto.

Tateh é professor. Ele dava aulas na mesma escola de ensino fundamental onde eu estudava, quero dizer, até ele perder seu emprego e eu ser proibida de ir à escola. Ele nunca foi professor da minha classe, mas seus alunos sempre me diziam que ele era o melhor professor que já haviam tido. Tateh amava dar aula, ele amava inspirar outras pessoas a aprender.

Agora, tateh trabalha em uma fábrica de sapatos alemã. Todos os dias, ele e um grupo de homens são levados para fora dos muros até a fábrica, onde ele fica sentado em frente a uma máquina o dia todo. Ele corta e lixa sapatos e botas feitos para os soldados alemães. Eu vi suas mãos ficarem mais duras e ásperas até se parecerem com o couro dos sapatos que faz. Ele tem sorte de ter um emprego, ele diz. Ele recebe umas porções a mais de comida para nós. Desde que chegamos aqui, a palavra "sorte" ganhou um significado completamente diferente daquele que tinha antes. Sorte era encontrar uma moeda na rua e usá-la para comprar um doce. Agora, sorte é seu pai ter um emprego entediante e que lhe faz mal para as costas. Sorte é ter alguns pedaços de pão a mais para a sua família.

Quando tateh era professor, os livros eram tudo em sua vida. Mas, para construir os muros do gueto, ele e outros homens judeus tiveram de arrastar pilhas de tijolos e pedras enormes para empilhar. Eles espalhavam lama e argila entre as pedras e, na última camada, os homens colocavam pedaços de vidro quebrado, com as pontas para cima, como lâminas afiadas. Como se isso já não fosse assustador o suficiente, eles esticavam arame farpado para completar o muro.

Depois de pronto, nós viemos para cá, passando pelo portão que nos fecharia nesta prisão.

— Estamos construindo a nossa própria prisão — David falava com raiva e tateh balançava a cabeça e suspirava.

— Temos sorte por estarmos todos juntos aqui dentro. Isso é o mais importante — ele dizia.

Lá estava aquela palavra novamente, "sorte". Eu não sinto que tenho sorte e não sei o que é pior, viver fora dos muros, onde os judeus são odiados e maltratados, ou viver aqui dentro, onde somos esquecidos.

Sara Gittler

28 de agosto de 1941

Estou com uma gripe horrível e me sinto muito mal. Mamãe não tem remédio para me dar e me ajudar a melhorar. Não temos nem lenços de papel para o meu nariz, que está escorrendo. Espero que mais ninguém fique doente.

Sara Gittler

6 de setembro de 1941

Nós tínhamos um piano na nossa casa de verdade e mamãe costumava dar aulas para as crianças da vizinhança. Em cima do piano, ficava um velho metrônomo. Mamãe dizia que ele veio de Zamek Krelewsky, o homem que a ensinou a tocar piano quando ela era criança. Ela o arrumava e o ligava para ajudar os alunos a manterem o ritmo da peça que estavam aprendendo. Eu sempre sabia quem havia treinado durante a semana pelo som do piano comparado ao metrônomo. Hirsch Rublach era o pior aluno de mamãe, ele nunca treinava. Eu nem sei por que ele se dava ao trabalho de ter aulas, a não ser porque sua mãe queria que ele tocasse e eu acho que ele não podia dizer não a ela.

Quando mamãe ligava o metrônomo e Hirsch tocava, era como girar o velho gramofone e ouvir a música ganhar velocidade. Toc, toc, toc, o metrônomo mantinha o andamento perfeito, mas Hirsch fazia uma confusão. Ele começava devagar, compassos atrás do metrônomo, e depois tomava velocidade até passar longe do som de toc-toc, em um frenesi ao piano. Depois, ficava lento de novo. Rápido e devagar, para frente e para trás, tantas vezes, que eu ficava tonta e tinha de morder a mão para não rir alto.

Não sei o que aconteceu a Hirsch e a tantos outros alunos de mamãe. Fico imaginando se conseguiram de alguma forma sair da Polônia antes

de a guerra nos cercar. Fico imaginando se estão vivos. O metrônomo já se foi — e o piano também — deixados para trás quando viemos para o gueto. Quando os soldados nazistas marcham do lado de fora da minha janela durante o dia, suas botas fazem o mesmo som do metrônomo, porém mais alto. Ninguém sai do ritmo, ninguém marcha muito rápido nem muito devagar. Os nazistas mantêm o andamento perfeito.

Sara Gittler

18 de setembro de 1941

Quando vim para o gueto, não pude trazer meu gato e esse foi provavelmente o pior momento da minha vida. Eu tinha aquele gato havia dois anos. Eu o encontrei quando ainda era filhote, chorando em um beco perto da minha casa. Eu o peguei e o levei para casa, sabendo que mamãe se apaixonaria por ele à primeira vista. E eu estava certa. Demos a ele o nome de Feliks, que significa "sortudo", porque achava que ele era sortudo por eu ter aparecido para salvá-lo. Feliks era doce e carinhoso, seguia-me por toda a parte e dormia em um cobertor nos pés da minha cama, embora mamãe não gostasse disso.

Porém, quando eu estava separando o cobertor de Feliks para trazê-lo para o gueto, percebi que mamãe me olhava. No início, tentei ignorá-la, mas, por fim, ela colocou as mãos nos meus ombros e me virou.

— Escute, querida — ela disse enquanto eu tentava me soltar e esconder minhas lágrimas —, mal teremos espaço para nós no gueto ou dinheiro suficiente para nossa comida. Não podemos levar Feliks.

Eu soluçava, não queria acreditar que teria de deixar Feliks, mas sabia que não tinha escolha.

Antes de sairmos de casa, eu levei Feliks até a casa vizinha. A senhora Kaminski é católica e não falava muito com a minha família havia vários meses. Acho que não gostava muito de nós porque somos judeus, ou talvez

só estivesse com medo do que aconteceria a ela se fosse amigável ou ajudasse uma família judia. No entanto, eu sabia que ela adorava gatos e ela concordou em ficar com Feliks. Deena foi comigo naquele dia, ela sabia o quanto seria difícil para mim dizer adeus ao meu lindo Feliks.

A senhora Kaminski mal olhou para mim quando bati em sua porta. Ela apenas estendeu os braços. Eu entreguei a almofada fofa de Feliks, seu cobertor, seus brinquedos e o último saco de ração que tínhamos. Depois, entreguei Feliks, mas antes lhe dei um último abraço e um último beijo, enterrando o nariz em seu pelo macio e aveludado.

Eu agradeci à senhora Kaminski e me virei para ir embora. Não queria que ela me visse chorar.

— Feliks ficará bem — Deena disse, mas ela também parecia triste.

Ao subir as escadas para o meu apartamento, não consegui reprimir a sensação de que alguma coisa estava errada. Senti que estava abandonando meu lindo bichinho de estimação. Lá estávamos nós, os judeus, sendo abandonados e forçados a sair de nossas casas. E eu estava fazendo o mesmo com Feliks. Embora nós sejamos humanos e Feliks seja um animal, eu fiquei muito triste por deixá-lo. Tentei tirar esses pensamentos da minha cabeça.

— Sei que você está certa, Deena — eu finalmente disse. — A senhora Kaminski cuidará bem de Feliks.

Porém, ao mesmo tempo, eu pensava se conseguiria ficar bem também.

Além da torturante decisão sobre o destino de Feliks, era impossível decidir o que levar e o que deixar. Eu não queria deixar nada. Você consegue imaginar ter que escolher entre seus discos, livros e brinquedos favoritos apenas uma ou duas coisas mais especiais para levar com você? Impossível! Mas era o que tínhamos de fazer.

— Não teremos muito espaço no nosso apartamento e o pouco de espaço que tivermos será ocupado pelas roupas, cobertores e objetos essenciais — disse mamãe.

Assim, escolhi entre as minhas coisas. Eu sabia que, para cada coisa que levasse comigo para o gueto, teria de deixar dez para trás.

Por mais difícil que fosse para mim, era quase impossível para Hinda. Tente explicar a uma menina de seis anos que a maioria dos seus brinquedos será abandonada. Ela não entendia de jeito nenhum. Chorou e chorou por ter de se desfazer de suas bonecas favoritas e acabou caindo no sono nos braços de mamãe, exausta por ter chorado tanto.

Tateh teve a mesma dificuldade para escolher os discos da sua coleção.

— Como alguém pode escolher entre Tchaikovsky e Mozart? — ele murmurou.

No final das contas, não importava. Não trouxemos o gramofone para o gueto para ouvir os discos. Descobrimos que a música era menos importante que a comida e as roupas.

Sara Gittler

1º de outubro de 1941

Tateh começou a cantar ontem à noite. Estava frio no nosso apartamento no gueto e estávamos todos à mesa pequena da cozinha, tentando aproveitar o último suspiro de calor do fogão. Até David estava lá. No começo, ninguém estava conversando. Era como se cada um de nós estivesse em outro lugar, perdido em sonhos, talvez pensando em uma querida lembrança do passado ou desejando estar em qualquer outro lugar. Hinda começou a falar com a sua amiga imaginária:

— Gostaria de comer biscoitos, Julia? — Hinda perguntou, fingindo segurar um prato em suas mãos. — Apenas um biscoito agora, guardaremos o restante para mais tarde.

David queria que Hinda parasse e brigou com ela, mas mãe o fez se calar, lembrando-o de que Hinda ainda era criança e precisava das suas fantasias. David acabou baixando a cabeça até a mesa e não se mexeu.

Eu mal notei tudo isso. Estava pensando sobre a festa que Deena deu em seu aniversário de doze anos. Havia meninos e meninas lá e Avrom Zusman até me tirou para dançar. É claro que eu fiquei tão vermelha que Deena disse que eu parecia um tomate. Isso me fez ficar ainda mais vermelha!

Lá estávamos nós à pequena mesa quando, de repente, tateh começou a cantar uma antiga canção popular iídiche. "Wus geven is geven un nitu" ele cantou.

Tenho apenas memória de dias que já se passaram,
O ano passou, escaparam as horas.
Como minha alegria some rapidamente,
E não posso ser pego de volta, nunca, não agora.

O que antes era agora não é mais,
O forte ficou fraco, todos que conheci.
Mas eu acredito em mim e no que já foi,
Sabemos que daremos conta, vamos conseguir.

Tateh tem uma voz grave e bonita que ecoava a cada nota. No início, ficamos todos tão assustados que ninguém disse nada. Hinda parou de conversar com Julia e David levantou a cabeça. Com as nossas bocas abertas, escutamos tateh cantar. Mas mamãe começou a cantarolar junto com ele, depois bubbeh e, logo, todos nós estávamos cantando, em harmonia com a melodia de tateh. Era uma música triste, mas me lembrava de casa. E, por um instante, os muros do gueto sumiram e eu me senti em paz... Talvez até com sorte!

Sara Gittler

27 de outubro de 1941

Estava chovendo muito quando acordei hoje e, embora eu não tenha ido lá fora, eu podia sentir o frio e a umidade dentro do nosso apartamento. Eu podia ver pequenas gotas se juntarem no cano acima do fogão e podia ouvi-las cair dentro do balde que mamãe colocou no meio do piso. Antes de virmos para o gueto, eu costumava amar a chuva, ficava do lado de fora sob aquele banho de chuva, com a cabeça jogada para trás e a boca bem aberta, tentando pegar gotas com a minha língua. Mas aqui as tempestades encontram uma maneira de passar através do meu casaco fino e da minha pele.

Eu estava parada perto da janela, vendo a chuva pingar na calçada lá embaixo. As ruas do gueto estão cheias de sulcos e valas que se transformam em rios de águas rápidas durante as tempestades, fazendo com que seja ainda mais difícil andar por aqui. Foi quando bubbeh veio até mim e me chamou de Saraleh do nada. Ela não me chamava por aquele apelido especial havia muito tempo, desde que saímos de casa — a nossa casa de verdade, antes do gueto — e eu fiquei tão assustada que dei as costas para a chuva lá fora e sorri para ela.

Quando estávamos na nossa casa de verdade, eu costumava observar a minha avó fazer *babka*, um bolo doce de canela que eu adorava. Primeiramente, bubbeh misturava farinha, ovos, manteiga, fermento e leite para fazer uma massa macia e pegajosa. Depois, ela amassava a mistura em uma tigela, transformando-a em uma bola brilhante, que fazia um barulho de sucção que me lembrava os beijos barulhentos que ela me dava quando eu chegava da escola.

— Oi, Saraleh. Eu senti sua falta — ela dizia, cobrindo-me de beijos. — Venha, conte-me tudo o que você aprendeu na escola hoje.

E eu contava, sentada no banco alto perto do balcão enquanto a observava fazer o *babka*. Os braços dela balançavam como uma gelatina quando ela socava a massa no balcão. E a melhor parte era quando ela tirava um pedaço da massa e me deixava modelá-lo como eu quisesse. Às vezes, eu fazia uma tartaruga, às vezes, uma árvore. Minha pequena forma sempre cozinhava mais rápido do que o *babka* redondo de bubbeh e, quando ela tirava a minha forma do forno e me entregava, ainda estava quente e soltando fumaça. Eu nunca me senti adulta demais para ficar com bubbeh, modelando e assando meus pequenos bolos.

Aquela foi a última vez que bubbeh sorriu. Foi a última vez que ela me chamou de Saraleh e me deu grandes beijos. Agora ela fica sentada quieta e, às vezes, quando acha que não estou olhando, ela chora e não para, mesmo quando tateh tenta dizer a ela que tudo ficará bem. Mamãe não diz nada, ela nem tenta fazer bubbeh se sentir melhor. É como se a tristeza fizesse parte das coisas hoje em dia. E bubbeh não é a única que está triste. Basta andar na rua por um ou dois minutos e ver que todos parecem tristes. Você consegue imaginar isso? O Gueto de Varsóvia inteiro está cheio de pessoas infelizes.

Os braços de bubbeh perderam aquela gordura que os fazia balançar. Agora eles parecem pequenas asas magrinhas. E seu rosto está tão magro e pálido que ficou quase transparente. As rugas ao redor da sua boca e dos seus olhos estão profundas como os sulcos no pavimento do lado de fora da minha janela. E, quando bubbeh chora, é como se os rios da chuva lá fora corressem por esses sulcos e ranhuras.

Nunca conheci os meus avós por parte de pai, eles morreram quando eu era bebê. Mas o pai da minha mãe, meu zaideh, morreu apenas um ano antes de o muro ser construído. Ele tinha um coração frágil que simplesmente parou certa noite enquanto ele dormia e ele nunca mais acordou. Foi quando bubbeh veio morar conosco.

Eu sinto falta do meu zaideh. Ele era engraçado e fazia truques bobos comigo e com Hinda, fazendo uma moeda desaparecer e depois tirando-a

de trás da minha orelha como se fosse mágica. Eu nunca contei a ele que, na verdade, eu sabia como o truque funcionava, eu havia descoberto anos antes. Eu nunca estragaria o prazer que meu zaideh tinha todas as vezes que repetia o truque, o que ele fazia todas as vezes que eu o via.

Por mais falta que eu sinta do meu zaideh, uma parte de mim fica feliz que ele tenha morrido antes de tudo isto. Fico aliviada em saber que ele não está aqui para testemunhar esta tristeza ou ver bubbeh chorar dia após dia. Isso o teria destruído. Em vez disso, pelo menos eu tenho a memória do sorriso dele e de seus truques bobos e adoráveis. Essa memória é tão doce como a de minha avó fazendo *babka* comigo.

Sara Gittler

5 de novembro de 1941

Veja que coisa mais assustadora. Alguns dias atrás, Hinda começou a ter uma febre alta e disse que seu ouvido estava doendo. A dor foi piorando ao longo do dia até ela começar a gritar de dor. Mamãe ficou com ela no quarto, embalando-a, colocando água fria na sua testa e tentando acalmá--la enquanto tateh andava pela cozinha. Eu nunca o vi tão preocupado assim e fiquei assustada. Eu não sabia o que fazer, estava com tanto medo de que Hinda morresse. Fiquei arrependida por todas as coisas ruins que já pensei dela; como todos nós ficávamos irritados quando ela falava sem parar sobre Julia. Eu só queria que Hinda ficasse bem.

Por fim, David foi para perto de tateh e falou com ele em voz baixa. Eu não sabia sobre o que eles estavam falando, mas tateh ficou nervoso no começo. Ele gritou:

— Não vou deixá-lo fazer algo tão perigoso. Você poderia ser morto. Que bem isso faria a qualquer um de nós?

David continuou falando até que tateh finalmente baixou a cabeça e fez que sim, já sem forças. Era como se a briga com David houvesse roubado a energia do meu pai. Quando David saiu do apartamento, tateh ficou sentado com as mãos na cabeça, sem se mexer.

Bubbeh ficou agitada o tempo todo.

— Espero que ele me traga um remédio para eu acabar com a minha vida. Não posso ver minha família sofrer.

Todos nós ignoramos bubbeh, embora aquilo me fizesse sentir um pouco mal. Acho que estávamos tão preocupados com Hinda e David que não tínhamos energia sobrando para nos preocuparmos com bubbeh.

Tentei conversar com tateh, tentei descobrir o que estava acontecendo, aonde David havia ido e o que iria acontecer com Hinda. Mas tateh não se mexia. Assim, fui para a cama de David e fiquei sentada lá, observando tateh e esperando. Naquele momento, desejei ser como David, poder fazer alguma coisa, correr para algum lugar e não ficar simplesmente sentada sem ter o que fazer, vendo as coisas acontecerem.

Quando David voltou, cerca de duas horas depois, ele trazia uma pequena garrafa com um líquido. Ele a entregou para tateh, que a agarrou e, depois, abraçou David, murmurando algo em seu ouvido. Lágrimas escorriam pelo rosto de tateh.

Não sei se David mendigou para conseguir o remédio, ou o roubou, ou bateu em alguém. Tudo o que sei é que a febre de Hinda cedeu e seu ouvido melhorou em dois dias.

Certa vez, houve um incêndio na minha antiga escola. Ninguém sabia como havia começado, mas a escola toda teve de ser evacuada rapidamente. Os professores tentaram nos deixar calmos e em ordem, mas muitos colegas entraram em pânico, principalmente os pequenos. Eu me lembro de ter andado em uma fila de alunos, todos empurrando para sair do pequeno prédio o mais rápido possível. Eu também estava assustada, sabia o quanto o fogo era perigoso e morria de medo de não conseguir sair a tempo. Somente quando eu já estava do lado de fora e vi aquela fumaça grossa sair da

janela da escola, percebi o quanto tinha sorte e o quanto havíamos chegado perto de sermos pegos pelo fogo.

Era isso que a doença de Hinda era para mim. Era como correr para sair de um prédio em chamas antes que algo realmente terrível acontecesse. Conseguimos evitar esse desastre, mas sempre sentia que o próximo estava logo à frente. Da próxima vez, farei alguma coisa. Da próxima vez, serei como David.

Sara Gittler

Capítulo cinco

— Você tem de parar de pensar no que aconteceu com Adam — disse Nix.

Nix e Laura estavam fazendo compras no shopping, tentando encontrar um vestido para a festa do *bat mitzvah* de Laura. Laura já tinha uma roupa para usar na cerimônia na sinagoga, uma saia preta discreta e uma malha rosa. Ela havia passado dias caçando com sua mãe algo que fosse apropriado para a ocasião, mas, ainda assim, jovem e moderno.

— Algo que você use outras vezes — sua mãe disse.

A saia e a malha que encontraram eram perfeitas.

Porém, quando chegou a vez do vestido da festa, Laura e sua mãe concordaram que ela e Nix iriam comprá-lo sozinhas.

— Desde que fique dentro do orçamento — disse sua mãe ao deixá-las na entrada do shopping. — E lembrem-se — ela acrescentou —, eu ainda darei a palavra final.

Laura sabia que isso significava que o vestido deveria ser o que sua mãe chamava de "apropriado para a sua idade".

— Mesmo que seu *bat mitzvah* signifique que você está se tornando uma moça, lembre-se de que você ainda é uma menina nesta família.

Nix estava muito agitada no shopping, mexendo animadamente nas araras de saias e vestidos da moda na seção infantil da loja de departamentos. Laura a seguia, devagar e relutante, ainda preocupada com o incidente na escola... e com o diário de Sara.

— Adam está bem — Nix afirmou —, não aconteceu nada.

Laura franziu as sobrancelhas. Nix era tão tranquila, ela aceitava quase tudo sem se abalar e Laura a admirava por isso. Mas será que ela estava sendo calma demais naquela situação, ignorando uma coisa importante?

— Sei que Adam está bem — Laura disse.

Quando Laura havia ligado para Adam na noite do incidente, ele estava agindo como se nada tivesse acontecido. Um CD dos Beatles estava berrando ao fundo. Adam falava de fatos aparentemente sem importância.

— Você sabia — ele disse — que quando John escreveu "I am the Walrus" era porque estava farto de ver as pessoas tentarem interpretar suas letras? Então, ele decidiu escrever algo sem sentido, apenas para ver o que diriam. Não é maluquice?

Laura deu risada, aliviada por saber que Adam estava bem. Nix provavelmente estava certa. Embora o episódio com Steve Collins a tivesse assustado, nada *havia acontecido* e Laura precisava tirar aquilo da cabeça.

— Não é apenas isso — Laura disse a Nix e começou a contar a ela sobre o diário que havia recebido da senhora Mandelcorn. — A escrita é ótima, Nix, e é tudo obra de uma menina judia da nossa idade. Você não vai acreditar em como era a vida dela durante a guerra. A família toda, todos os seis, apertada em dois dormitórios pequenos dentro de um gueto.

Nix franziu as sobrancelhas curiosa.

— Você sabe que havia lugares chamados campos de concentração, prisões para onde muitos judeus eram mandados.

— Como a Anne Frank.

— Isso — Laura concordou com a cabeça —, como a Anne Frank depois que os soldados nazistas invadiram o seu esconderijo. Bem, mesmo antes dos campos de concentração, havia partes de cidades da Europa para onde famílias judias tinham de ir e morar. Os nazistas construíram muros ao redor desses lugares com arame farpado e tudo. Os judeus não podiam sair e, dentro dos guetos, as famílias passavam fome e não havia eletricidade nem banheiros...

— Que nojo — Nix interrompeu.

— De qualquer forma, essa menina, Sara, contou sua vida no gueto e era isso que eu estava lendo.

Laura mal podia começar a explicar como era ler páginas do diário com capa de couro.

— Algumas coisas estão escritas como em um diário normal, porém a maior parte é como um romance, mas é real.

Na noite anterior, Laura havia terminado de ler a parte sobre a doença de Hinda. E, novamente, havia ficado acordada muito tempo pensando como devia ter sido para a família de Sara. E se a mesma coisa acontecesse na família de Laura? E se Emma ficasse tão doente e perto da morte? Laura nunca havia pensado sobre situações de vida ou morte. Quantas crianças da sua idade pensavam nisso? Ela podia ler a respeito de uma guerra em outro país e ficar triste, ela podia saber da pobreza na África e tentar ajudar de alguma maneira, como havia feito com seu projeto, mas realmente colocar-se no lugar de pessoas que sofriam era algo completamente diferente. E era isso que parecia estar acontecendo enquanto ela lia o diário de Sara. Laura sentia que estava se aproximando da vida de Sara, se aproximando de Sara. Não era um romance nem um livro escolar de História. As palavras nas páginas eram reais, as vidas eram reais.

— Certo, este ou este — Nix segurava dois vestidos à sua frente. — Eu gosto do prateado porque ficaria ótimo com seu cabelo escuro, mas o vermelho é bonitinho também.

Laura não respondeu. Seus pensamentos estavam em outro lugar, pensando na vida da menina do diário. "*Eu me pergunto o quanto Sara pensava em comprar roupas novas. Ou ela preocupava-se apenas com comida e com sua família?*".

— Ei, sai dessa! — Nix interrompeu os pensamentos de Laura.

— Ahn? O quê? Ah, desculpe. Acho que simplesmente não estou com humor para fazer compras. Não consigo explicar.

Nix olhou Laura de perto.

— O que há com você? — Nix perguntou, jogando o cabelo loiro por cima do ombro, seus olhos azuis e tranquilos flamejando. — Você parece ter sido colocada de castigo por não tirar um A na prova de História ou algo assim. Você está com o cartão de crédito da sua mãe na mão e está em um prédio cheio de roupas. O que pode ser melhor do que isso? Estou tentando ajudá-la, mas você precisa me dar uma mão.

— Eu sei, você está certa.

Laura balançou a cabeça e prestou atenção nos vestidos que Nix segurava à sua frente.

— Acho que algo azul seria melhor — ela acabou dizendo.

"*Azul! Uma cor triste, como eu me sinto*". Esse pensamento ela guardou para si mesma.

Nix sorriu.

— Assim é melhor — ela disse. — Vamos achar o vestido mais azul e bonito do mundo.

Laura deu risada e sorriu carinhosamente para a amiga. Nix *estava* certa. Coisas maravilhosas estavam acontecendo na vida de Laura e ela queria aproveitá-las. Quando chegou à sua casa, estava exausta e feliz. Ela encontrou o vestido perfeito. Era de um azul profundo com alças finas e com uma crinolina de tafetá por baixo da saia rodada que se expandia sempre que ela girava. Sua mãe havia aprovado, mas, quando Laura estava tirando o vestido da sacola e pendurando-o no guarda-roupa, seus olhos repousaram no diário que estava em cima da mesa perto da sua cama. Mais uma vez, seu humor mudou.

Laura se aproximou da sua mesa de cabeceira e pegou o diário, virando-o em suas mãos e abrindo-o na página que havia terminado de ler na noite anterior. A anotação seguinte era pequena.

7 de novembro de 1941

Deena usou seu último papel de desenho hoje. Ela desenhou um grupo de crianças paradas no meio da rua. Elas estavam implorando por comida, mas sorriam para as pessoas que passavam apressadas por elas. Você consegue imaginar? Crianças famintas que estavam sorrindo! Deena disse que queria capturar aqueles sorrisos no seu desenho. Quando terminou, ela fechou seu bloco de folhas, tirou os óculos, olhou para mim e disse:

— Pronto. Acho que fiz meu último desenho.

Deena me encarou. Seus olhos estavam vazios e entorpecidos.

— O que farei agora?

Ela disse isso em sussurros, como se toda a alegria da sua vida tivesse ido embora. Temo que Deena pense que, se não puder desenhar, o que então haverá para dar sentido à sua vida? Eu não sabia o que dizer a ela. Vou procurar papel. Vou rasgar páginas em branco de alguns dos meus livros. Eu sei o quanto desenhar é importante para Deena, é o que a faz sorrir.

Sara Gittler

Crianças mendigavam por comida no gueto.

Laura ficou de coração partido ao ler essa pequena passagem, ao perceber que algo tão pequeno como papel para desenho podia ser tão importante no mundo em que Sara vivia. Laura percebeu que estava começando a pensar em Sara como uma amiga. Ela até imaginava que se pareciam um pouco, as duas tinham olhos e cabelos escuros e Laura tinha as mesmas sardas irritantes no nariz, como Sara havia descrito. O telefone de Laura tocou e ela foi até a escrivaninha atendê-lo.

— Não foi muito divertido? — a voz de Nix estava borbulhando de animação.

Laura, por alguns instantes, estava tão preocupada como o diário que não fazia ideia do que Nix estava falando.

— Quero dizer, o que pode ser melhor do que fazer compras a tarde toda? Ei, você quer vir para a minha casa? Eu posso fazer pipoca e a gente pode assistir à televisão.

Laura fechou os olhos e respirou fundo antes de responder.

— Não, acho que não. Eu ainda tenho lição de casa para fazer e quero ler mais um pouco deste diário.

Por que Laura estava se sentindo cada vez mais irritada?

Houve um grande silêncio do outro lado da linha. Quando Nix finalmente respondeu, sua voz estava fria.

— Eu pensei que você não se importasse com essa coisa de gêmeos.

— Eu não me importava, mas alguma coisa me pegou desde que comecei a ler o diário de Sara.

Por que Nix não entendia?

— Esqueça — disse Laura. — Tenho que desligar.

Ela desligou o telefone e olhou para o diário. Por que, de repente, havia ficado tão difícil conversar com Nix, explicar a ela como se sentia? Era frustrante descobrir que Nix não parecia entender a importância de tudo aquilo. Laura não queria começar uma briga, mas estava começando a sen-

tir que ela e Nix falavam em idiomas diferentes. As diferenças entre elas sempre foram as responsáveis por fazê-las grandes amigas, mas elas estavam cada vez mais separadas. Laura estava começando a se sentir entre dois mundos completamente diferentes — duas amigas — e quase obrigada a escolher entre eles.

Capítulo seis

Laura saiu do quarto para procurar seus pais e os encontrou curvados sobre a lista final de convidados da festa do *bat mitzvah*. Estavam entretidos, tentando decidir quem sentaria ao lado de quem no jantar.

— Mas, Gary, não podemos colocar seu tio Lou ao lado da minha prima Anne — a mãe de Laura disse. — Você não se lembra daquela vez em que seu tio insultou minha prima dizendo que havia passado mal por causa dos bolinhos que ela fez no último piquenique da família? Ele disse que ela tentou envenená-lo e eles não se falam desde aquele dia.

— Bem, não há mais ninguém para colocar ao lado dele, Lisa — seu pai respondeu. — Eles terão de fingir que gostam um do outro por uma noite.

Laura enfiou-se entre eles, esperando um intervalo na conversa.

— O que foi, Laura? — sua mãe finalmente perguntou. — Você está triste há alguns dias. Estava nervosa com as aulas de hebraico? Sei que é muita coisa para aprender, mas não pode deixar isso abatê-la.

Laura balançou a cabeça.

— Não mamãe, eu já lhe disse que essa parte está bem. É só o projeto de gêmeos e o livro que a senhora Mandelcorn me deu.

Laura havia contado para a sua mãe que recebera o diário, mas não havia contado quase mais nada.

Os pais de Laura aguardaram ansiosos. Essa era uma qualidade deles, Laura percebeu. Eles nunca a forçavam a conversar quando ela estava preocupada. Deixavam que ela tomasse a iniciativa, esperavam que ela estivesse pronta e então colocavam tudo de lado, como naquele momento, para ouvi-la.

Laura começou a falar sobre Sara, seus pais, sua avó e seus irmãos.

— Não sei muitas coisas sobre o Gueto de Varsóvia, estou começando a descobrir agora.

A pesquisa de Laura havia começado. Ela já havia pesquisado na internet, tentando encontrar informações sobre os guetos na Europa durante a guerra: quando foram formados, como e o que havia acontecido lá. De repente, o trabalho extra parecia muito importante. Quando Laura havia deixado de pensar nele como um fardo e passado a achá-lo necessário?

— Eu sabia que os guetos muitas vezes eram construídos pelos próprios prisioneiros — seu pai disse. — Vimos um palestrante na sinagoga mês passado, sua mãe e eu fomos ouvi-lo. O nome dele é Henry Grunwald, ele é um sobrevivente do Gueto de Varsóvia e contou que ele e outros prisioneiros judeus haviam construído os muros.

O pai de Laura falou também que os guetos eram construídos perto de estações de trem.

— O senhor Grunwald disse que, no começo, os guetos existiam apenas para manter os judeus separados dos seus vizinhos, mas, depois que os nazistas passaram a levar os judeus para campos de concentração, era fácil buscá-los nos guetos e colocá-los nos trens. Eu não sabia disso antes.

Laura concordou com a cabeça. Ela não sabia ainda o que aconteceria a Sara, mas já tinha um mau presságio sobre o resultado da história. A situação só podia piorar.

— O discurso do senhor Grunwald foi muito emocionante. Gary, lembra-se de quando ele contou sobre a revolta no gueto? — a sua mãe perguntou antes de se virar para Laura. — Eles chamaram de Levante do Gueto de Varsóvia.

Laura a interrompeu.

— Eu sei, li a respeito também.

Foi quase no final da guerra e a maioria dos judeus já havia sido deportada para campos de extermínio, mas havia uma organização secreta de jovens judeus combatentes que se uniam para lutar com o que tivessem: algumas poucas armas, bombas caseiras e granadas.

— Eles estavam em uma grande desvantagem numérica — seu pai continuou. — Um pequeno grupo de combatentes contra o exército nazista inteiro. Os judeus estavam fadados a perder, mas, por milagre, a batalha durou várias semanas. Os nazistas nunca esperaram que os judeus do gueto fossem enfrentá-los.

A mãe de Laura continuou a história:

— Você deve imaginar o quanto foi humilhante quando um pequeno grupo de judeus e judias jovens, sem equipamentos adequados e mal treinado conseguiu atrasar os planos que os nazistas tinham para as deportações. Os nazistas acabaram queimando o que sobrou do gueto. Os combatentes judeus foram incrivelmente corajosos, até o fim.

O silêncio pairou no ar enquanto Laura tentava digerir o que seus pais estavam contando. Ela já achava Sara corajosa e mal havia começado a descobrir fatos da sua vida.

— Há tantas coisas que não entendo sobre o que aconteceu na guerra — Laura falou por fim. — Eu pensei que soubesse tudo por causa do projeto que fiz ano passado, mas não sei.

— É difícil para qualquer um de nós entender como essas coisas aconteceram, Laura — seu pai respondeu. — Os judeus se tornaram os bodes expiatórios da Alemanha e dos problemas que o país enfrentava depois da Primeira Guerra Mundial. Mas não é isso que você está buscando, é? — ele perguntou.

Laura balançou a cabeça. Ela não queria informações históricas sobre os eventos que levaram à Segunda Guerra Mundial. Ela queria mais do que isso, ela queria saber o que Sara parecia estar perguntando: para início

de conversa, por que o mundo ficou de plateia e permitiu que tudo isso acontecesse?

— Esse projeto está se tornando importante para você, não é mesmo, querida? — sua mãe perguntou gentilmente.

Laura confirmou com a cabeça.

— Nix não entende. Ela acha que sou uma idiota por não estar mais empolgada com o meu vestido neste momento.

Sua mãe fez um gesto de compreensão.

— Você e Nix são boas amigas, encontrarão uma maneira de resolver isso.

Laura concordou com a cabeça novamente. Ela beijou seus pais, desejou boa noite e voltou para o seu quarto. Havia um e-mail de Nix esperando por ela em seu computador. *Eu não entendo*, dizia o e-mail, *por que você está mais interessada em uma menina que viveu há milhões de anos?*

Laura ficou olhando para a tela do computador. Ela não sentia vontade de responder para Nix. Ao se preparar para dormir, a cabeça de Laura estava cheia de perguntas e incertezas. Talvez ela nunca fosse entender por que as coisas aconteceram daquela maneira durante a guerra. A única coisa que sabia era que ela finalmente havia se comprometido com o projeto de gêmeos. E, se sua melhor amiga não podia entender como ela se sentia em relação a Sara e à sua vida, bem, era uma pena.

Laura desligou o computador sem responder ao e-mail de Nix. Depois de arrumar seus livros para o dia seguinte, Laura finalmente se deitou. Somente então ela pegou o diário com capa de couro, abriu-o e começou a ler.

9 de novembro de 1941

David saiu de novo na noite passada e, dessa vez, não voltou até o nascer do sol. Eu não sei aonde ele vai e ele não conta muita coisa. Já tentei perguntar, ele simplesmente encolhe os ombros e resmunga:

— Eu apenas saí.

Sei que ele está escondendo alguma coisa. Sei que há grupos se organizando para lutarem contra os nazistas. David não sabe, mas eu o escutei certa vez. Ele estava no pátio do nosso prédio com seus amigos, Luba e Josef. David não me viu atrás da porta e foi isto que eu os escutei dizer:

— Somos fortes. Cada dia, estamos em maior número — David disse. — Logo, teremos o suficiente para fazer alguma coisa.

Eu não sabia quem eram esses "nós" ou de que tipo de ação ele estava falando. Não há um exército de judeus aqui no gueto.

— Já conseguimos tirar alguns judeus daqui — David continuou. — Já reunimos armas e munição. Não irá demorar até fazermos um bom uso de tudo isso.

David baixou a voz e olhou ao redor. Eu me encolhi na sombra da porta e me esforcei para ouvir o que ele dizia.

— Logo haverá mais um transporte — Josef sussurrou. — Não iremos ficar sentados e ver nossos irmãos e irmãs serem levados embora. Vamos lutar.

— Não estamos em número suficiente — era Luba quem falava. — E com o que lutaremos? Vinte rifles não darão conta de um dos tanques deles.

— Prefiro morrer lutando aqui no gueto a ser levado embora — disse David.

Com isso, David se virou e começou a andar pelo pátio. Eu devo ter feito algum barulho, devo ter tropeçado em um ladrilho solto porque David me pegou escondida atrás da porta. No início, ele ficou bravo por eu

estar espiando a sua conversa, mas não me importei. Foi quando eu disse que queria ajudá-lo com o que quer que ele e seus amigos estivessem planejando. David não queria nem ouvir falar disso.

— Você é uma criança — ele disse —, nova demais. E você não faz ideia dos perigos que estão aí fora.

— Mas, se você pode fazer alguma coisa, por que eu não posso? — eu quis saber. — Além disso, tenho doze anos. Se tenho idade o suficiente para estar aqui, então tenho idade o suficiente para ajudar. Posso fazer o mesmo que você faz.

Combatentes da resistência judaica podiam ser parados e presos pelos nazistas.

De onde tirei coragem para enfrentar David daquele jeito? É algo que Deena faria, não eu!

Até David parecia surpreso com a minha explosão e ficou me encarando por bastante tempo antes de responder:

— O que você acha que vai fazer? Contrabandear armas para dento do gueto? Na semana passada, Jacob foi pego com uma pistola da Rua Chlodna. Ele provavelmente nem viu o carro do exército que parou atrás dele. Morreu na hora.

David se aproximou de mim.

— Não deixarei que você faça algo tão perigoso.

Foi quando corri e subi as escadas. Eu não queria mais escutar aquilo. Eu não queria ouvir sobre pessoas que levavam tiros. Eu não queria ouvir que haveria um transporte para fora do gueto. E eu não queria ouvir que meu irmão e outras pessoas iriam lutar com armas contra os tanques nazistas.

Sara Gittler

26 de novembro de 1941

Eu sei dos transportes e das deportações. Sei o que essas palavras significam. "Deportação: ser banido ou exilado de sua casa e mandado para um destino desconhecido." Eu procurei no dicionário certa vez. E eu, como todos no gueto, ouvi rumores sobre para onde os judeus estão sendo mandados. Você teria que viver com a cabeça enterrada na areia para não saber as notícias que varrem este lugar. Deena e eu falamos sobre isso às vezes.

— Essas prisões no leste — eu disse certa vez, enquanto estávamos sentadas na escada em frente ao meu apartamento —, você acha que são tão ruins quanto todos dizem que são?

Deena e eu estávamos jogando uma velha bola uma para a outra. David havia tirado a bola de uma pilha de lixo certa vez e a entregado para mim, um dos raros gestos que me dizem que ele se importa comigo, mesmo que não diga isso. A bola estava quase toda rasgada, a camada de fora estava presa por um fio, mas David a cobriu com um pano e embrulhou com um arame que ele também encontrou. Assim, ela estava boa e dava a mim e a Deena algo para fazer em vez de simplesmente ficarmos sentadas vendo pessoas tristes passarem.

Deena jogou a bola de uma mão para a outra enquanto pensava na minha pergunta.

— Rumores são uma coisa perigosa — ela acabou dizendo. — Não sabemos o que é verdade e o que é exagero.

Às vezes, acho que Deena sabe mais do que ela demonstra, assim como meus pais e também como David. Deena tem a minha idade, mas às vezes ela acha que tem de me proteger das coisas, como se eu não aguentasse a verdade tão bem quanto ela. Deena me conhece bem e, às vezes, fico grata por ela não conversar sobre as coisas que ela sabe, como quando ela diz que tem pressa para desenhar tudo o que vê no gueto. Mas, naquela vez, eu a pressionei para falar mais.

— Dizem que os judeus deportados estão sendo mortos nessas prisões — Deena disse devagar. — Dizem que estamos melhor aqui no gueto e que ser transportado é sempre uma sentença de morte.

Nunca pensei que este lugar horrível pudesse ser a melhor alternativa para alguma coisa, mas as palavras de Deena me fizeram tremer sem controle e me lembraram de uma coisa.

— Lembra-se de quando os pais de Mordke foram presos? — eu perguntei.

Mordke era um menino da minha idade que morava em um apartamento lotado com seus pais e mais duas famílias. Eu costumava ficar com ele perto do portão, esperando que os pais dele e meu tateh voltassem para o gueto depois de trabalharem nas fábricas do lado de fora. Certo dia, o pai de Mordke tentou passar pelos guardas do portão com um pouco de comida escondida. Ele havia conseguido, de alguma maneira, encontrar ou roubar uma cabeça de repolho, que ele tentou esconder sob o casaco. Mas os guardas estavam revistando todo mundo naquele dia e, quando acharam o repolho, bateram no pai de Mordke e o jogaram num caminhão. Pensei que Mordke fosse atacar os guardas e tive de segurá-lo para que ele não apanhasse junto com seu pai. Mordke brigou contra os meus braços, mas eu o segurei bem e disse a ele que ficasse quieto. Quando a mãe de Mordke tentou ajudar o marido, ela também foi jogada no caminhão. Simplesmente assim! Os pais

de Mordke foram presos e levados embora e Mordke teve de cuidar de si mesmo no gueto. Era tão triste vê-lo sozinho depois disso, mendigando nas ruas como os idosos doentes. Mamãe frequentemente o trazia para a nossa casa, para compartilhar o pouco de comida que tínhamos.

— O que acontece é que — eu disse ao pegar a bola da mão de Deena e virá-la para olhar para mim — todos nós nos sentimos muito mal e tristes por Mordke. Ele está sozinho aqui no gueto, mas, pelo menos, está aqui. Talvez devêssemos ficar tristes pelos pais dele.

Deena ficou me olhando. Ela não tinha resposta e, naquele momento, percebi que os rumores deviam ser verdade.

Sara Gittler

19 de dezembro de 1941

Muito frio! Meus dedos dos pés e das mãos estão adormecidos. Estou sentada dentro de casa, embaixo de um cobertor. Sem aquecimento.

Sara Gittler

12 de janeiro de 1942

Tateh me levou para visitar o orfanato hoje, ele conhece o homem que administra o lugar. O nome dele é Janusz Korczak.

— Ele é um grande homem — diz tateh —, um ser humano generoso.

Tateh costumava dar aulas no orfanato, foi assim que conheceu o senhor Korczak. Na verdade, é doutor Korczak, mas ele deixou de praticar a medicina quando decidiu dedicar sua vida a cuidar dos órfãos. Ele até já havia administrado um lar de órfãos católicos e sonhava em criar um lugar onde crianças judias e católicas pudessem viver juntas. Foi o que tateh me disse. Não é uma ideia adorável? Crianças de religiões diferentes vivendo juntas como irmãos e irmãs. Era assim que as coisas deveriam ser. É claro que isso nunca aconteceu. Na verdade, o doutor Korczak foi proibido de ocupar o cargo de diretor do orfanato católico por ser judeu e, quando o gueto foi criado, ele decidiu ficar aqui com as crianças judias das quais cuidava.

Eu não queria ir com tateh ao orfanato. Estava especialmente faminta naquela manhã. Não é justo termos tão pouco para comer aqui no gueto. Houve uma época, bem antes da guerra, em que nossa geladeira ficava tão cheia que, quando abríamos a porta, parecia que a comida iria saltar para fora. Hoje em dia, os armários fazem eco de tão vazios, junto com o meu estômago. Isto é que temos para comer aqui no gueto: temos uma refeição na metade do dia, na cozinha central, mas eu não a chamaria de refeição, é na verdade uma tigela de sopa aguada com alguns vegetais flutuando nela. O cartão de racionamento que tateh tem nos dá 800 gramas de pão por mês e 250 gramas de açúcar. Com isso, também ganhamos algumas batatas e, às vezes, alguns repolhos ou beterrabas. E, se tivermos sorte, alguns gramas de geleia. Isso é tudo! Mamãe faz trocas para conseguir outras coisas, como carne de osso para sopa ou alguns gramas de queijo. Mas cada vez há menos coisas para trocar. Logo, teremos de começar a arrancar tábuas de madeira do chão do apartamento.

As pessoas tinham de fazer fila na cozinha central para pegar as porções de comida do meio-dia.

Eu anseio por pelo menos uma das refeições que mamãe preparava na nossa antiga casa, um prato de carne de peito assada com batata doce e cenouras. Naqueles dias, eu comia as refeições sem nem pensar no que estava colocando na boca. Atualmente, comer o pouco de alimentos que temos é algo que requer concentração. Cada mordida é ponderada, cada pedaço é memorável.

— Pare de sentir pena de si mesma, Saraleh — dizia tateh.

Foi quando ele me disse que eu deveria ir com ele ao orfanato.

— O doutor Korczak é um amigo meu — ele disse. — Quero conversar com ele sobre voltar a dar aulas no orfanato. Será bom para a minha alma — tateh acrescentou.

Eu não sabia o que aquilo tinha a ver comigo ou por que eu tinha de ir junto.

— Talvez isso coloque a sua vida sob um ponto de vista mais claro — disse tateh, embora eu não entendesse bem o que ele queria dizer.

Tateh e o doutor Korczak ficaram felizes em se verem e se abraçaram como amigos antigos que há muito não se viam. Eu fiquei olhando o doutor Korczak. Ele é alto e magro e tem uma cabeça redonda e careca como a lua cheia. As crianças formavam filas em silêncio atrás do doutor, eram cerca de vinte. A mais velha tinha cerca de doze anos, a mais nova, não mais do que quatro ou cinco. Seus olhos eram curiosos.

— Fique aqui com as crianças — tateh me disse. — Eu vou conversar com Janusz. Não vou demorar.

Assim que tateh saiu com o doutor Korczak, um grupo de meninos e meninas me cercou. A maioria não era mais velha do que Hinda e eu fiquei mais triste do que havia ficado quando deixei meu gatinho antes de vir para o gueto. Aquelas crianças não tinham pais nem avós para cuidarem delas e amá-las. Não apenas estavam neste gueto horrível, mas estavam comple-

Janusz Korczak cuidava das crianças no orfanato.

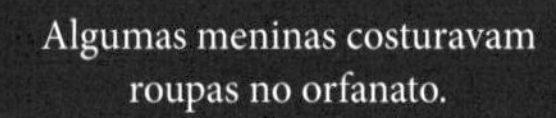

Algumas meninas costuravam roupas no orfanato.

Meninos e meninas tinham aulas, trabalhavam no jardim e montavam peças e concertos.

tamente sozinhas. E, ainda assim, não pareciam nem um pouco tristes. Na verdade, bubbeh parecia mais triste do que aquelas crianças pequenas e ela tinha todos nós!

As crianças puxaram minha mão, querendo que eu fosse com elas e brincasse. Eu as segui até um salão maior, onde elas me cercaram e me olharam com tanta expectativa que, de repente, eu tive uma ideia.

— Certo — eu disse —, sentem-se todos e eu contarei uma história.

As crianças se largaram no chão aos meus pés e eu comecei a contar a lenda do trompetista de Cracóvia.

Havia um vigia que ficava de guarda na torre mais alta da cidade de Cracóvia, na Igreja de Santa Maria. Esse vigia soprava seu trompete quando achava que a cidade estava em perigo.

Certa noite, o vigia viu um grupo de invasores se aproximando. Ele soprou seu trompete para alertar o povo da cidade. Os invasores lançaram flechas contra ele na torre, mas ele continuou a soprar o trompete até ser atingido por uma flecha.

Os invasores acabaram sendo forçados a recuar, a cidade foi salva, mas o vigia morreu por causa dos ferimentos.

Desde aquela época, um trompete sempre toca um pequeno hino em Cracóvia, repetido a cada hora. Ele termina de maneira animada, para honrar o vigia que morreu protegendo sua cidade.

Enquanto eu contava a história, o rosto de um menininho chamou a minha atenção. Ele tinha cabelos e olhos escuros e sardas pelo nariz como eu. Seus olhos se arregalaram tanto enquanto eu contava a história que eu pensei que fossem pular do seu rosto. Eu estava terminando quando tateh e o doutor Korczak entraram na sala.

— Ela certamente irá se tornar uma ótima professora, como você — disse o doutor Korczak, apontando para mim enquanto tateh sorria em aprovação.

Antes de ir embora, eu me despedi das crianças e parei para falar com o menininho de sardas.

— Você gostou da minha história? — eu perguntei.

Ele afirmou com a cabeça.

— Qual é o seu nome?

— Jankel — ele disse. — Você vai voltar? Vai voltar e nos contar outra história?

— Tentarei — eu disse, abaixando-me e dando um abraço nele antes de seguir tateh.

— Você fez uma coisa boa, Saraleh — disse tateh. — Essas pobres crianças não têm nada. Se não fosse por Janusz, quem sabe o que aconteceria a elas? Ele consegue comida e roupas para elas e camas para dormir. Até acontecem atividades e peças que Janusz organiza para as crianças. Imagine, aqui nesta miséria, essas crianças podem brincar.

Eu fiquei quieta durante todo o caminho de volta, pensando no que tateh havia dito. Naquela manhã, eu havia me sentido sem sorte. Tinha pouco para comer, nenhuma roupa nova e um quarto apertado que eu dividia com a minha avó. Porém, comparada àquelas crianças, eu sentia que tinha todas as riquezas do mundo. Eu tinha meu pai, bubbeh, Hinda e até David, ele conversando comigo ou não. Era impressionante o quando a falta de sorte de uma pessoa podia, de repente, fazer a sua vida parecer tão melhor. Eu jurei que voltaria ao orfanato sempre que pudesse.

Sara Gittler

16 de janeiro de 1942

Ontem, David saiu de casa sem sua braçadeira. Isso é contra a lei e você pode ser preso ou até levar um tiro se for pego sem ela. Todos devem usar a braçadeira branca com a estrela de Davi azul sempre que sai. Eu odeio a

minha braçadeira. É como um defeito enrolado em volta do meu braço, apertando mais e mais, lembrando-me de que sou diferente. Nós temos de fazer nossas próprias braçadeiras ou comprá-las do menino na rua que carrega dúzias delas em um suporte. Mamãe se recusa a pagar por braçadeiras. Ela diz que é como a construção do gueto.

Todos no gueto tinham de usar uma braçadeira branca com uma estrela de davi azul.

— Os homens construíram a prisão e agora as mulheres têm de comprar os uniformes dos prisioneiros. Ridículo! — ela diz.

Assim, em vez disso, mamãe, bubbeh e eu costuramos as braçadeiras à mão. Isso dá a bubbeh algo para fazer, algo para tirar seus pensamentos da sua tristeza.

Eu vi a braçadeira de David sobre a sua pequena cama. Por isso, corri atrás dele para avisá-lo que não a estava usando. Eu pensei que ele havia simplesmente esquecido. Bem, eu deveria saber que não. Quando o alcancei, na esquina do nosso prédio, ele se virou e disse entre os dentes que eu devia deixá-lo em paz e voltar para dentro.

Eu não queria contar para mamãe e tateh, não queria deixá-los preocupados. Assim, sentei-me na pequena cama de David e me balancei para

Os judeus faziam as suas braçadeiras ou as compravam de vendedores nas ruas.

frente e para trás. Mamãe achou que eu estava doente e ficou apertando os lábios contra a minha testa para ver se eu tinha febre. A verdade é que eu estava doente de medo por causa de David.

Ele voltou tarde naquela noite e você não vai acreditar. Quando ele abriu o casaco, caiu comida de dentro dele! Havia dois sacos de cenouras, uma cabeça de repolho e algumas cebolas. Ele até trouxe um pacote de açúcar e um de farinha, que tirou dos bolsos. Era como se um tesouro tivesse caído do céu, tão incrível que era! Mamãe atirou-se nos braços de David, abraçando-o e dando gritos agudos de alegria. Mas, no minuto seguinte, eu pensei que ela iria esganá-lo. Nós não sabíamos o que ele havia feito para conseguir a comida, mas sabíamos que devia ter sido algo ridiculamente perigoso.

Mais tarde, naquela noite, quando todos estavam dormindo, eu fui até a cama de David e perguntei a ele diretamente como ele havia conseguido tudo aquilo. No início, ele não queria me contar, mas eu simplesmente fiquei lá e esperei. Eu acho que tenho o direito de saber essas coisas. E, por fim, ele começou a contar. Ele me disse que há uma maneira de sair do gueto, buracos nos muros que alguns judeus fizeram. David rastejou por um desses buracos e saiu em busca de comida.

— Voltei ao velho mercado perto da nossa casa — ele disse. — O senhor Novakowski ainda estava lá, vendendo suas mercadorias como se nada no mundo tivesse mudado. Quando ele me viu entrar na loja, pensei que ele fosse ter um ataque do coração.

As pessoas tentavam contrabandear comida para dentro do gueto.

David seria preso na hora se ele, um judeu, fosse visto nas ruas de Varsóvia, mas nós dois também sabíamos que o senhor Novakowski também poderia ser punido se fosse visto conversando com um judeu.

— Essa era a única vantagem que eu tinha — David continuou. — Eu pensei que o senhor Novakowski faria qualquer coisa para me tirar de lá o mais rápido possível. Ele jogou todas aquelas coisas nas minhas mãos e eu desapareci o mais depressa que pude.

David disse que a parte mais difícil foi voltar para o gueto.

— Foi como um gostinho de liberdade — ele disse. — Melhor do que todos os vegetais que eu levava em meus bolsos.

Ouvir David falar sobre estar fora do gueto era melhor do que eu poderia ter imaginado. Eu me senti tonta só de pensar naquilo.

— Leve-me com você! — eu disparei a dizer antes de ter uma chance de pensar. — Na próxima vez que você sair, leve-me com você — eu nem pensava no perigo. — Por favor, David — eu implorei —, eu preciso fazer alguma coisa. Eu sou pequena — eu acrescentei —, eu posso passar por lugares que você não pode.

David parou. Por um instante, eu pensei que ele poderia brigar comigo novamente, pedir para deixá-lo em paz, dizer que sou muito nova para me envolver. Porém, dessa vez, ele não fez isso. Depois de um tempo, ele disse:

— Vou pensar a respeito.

No dia seguinte, fizemos um banquete com um ensopado preparado pela mamãe. Ela até colocou nele um osso com carne que estava guardando para uma ocasião especial. Meu estômago ficou mais cheio do que ficava havia semanas, mas o melhor de tudo foi David realmente dizer que eu poderia ser capaz de ajudá-lo. Não seria a maior ironia de todas se o gueto conseguisse me aproximar de David?

Sara Gittler

Como não podiam ir à escola, as crianças brincavam nas ruas.

Capítulo sete

Quando chegou à mesa do café da manhã nos dois dias seguintes, Laura estava esfregando os olhos, tentando se livrar do cansaço. Não estava cansada por ter ficado lendo o diário, embora tivesse feito isso até tarde da noite nos dois dias. O problema era que, depois de fechar o diário, ela não havia conseguido pegar no sono, nas duas vezes. Ela fechava os olhos, tentava respirar fundo e tentava pensar em outras coisas, *pensamentos felizes*, como sua mãe os chamava. Mas não adiantava. Por mais que tentasse, Laura não conseguia parar de pensar em Sara, na família dela, na ameaça de deportação, no orfanato que ela havia visitado. Laura sentia como se estivesse em uma montanha-russa, segurando firme para não cair enquanto seus pensamentos voavam pelos eventos da vida de Sara. Horas se passavam cada noite enquanto a montanha-russa de Laura continuava a sacolejar e fazer curvas.

A noite anterior havia sido a pior. Quando ela finalmente conseguiu dormir, começou a sonhar. Laura imaginou que ela e Emma estavam marchando em uma longa fila de crianças. Era um pesadelo, ou pelo menos parecia um: o céu estava preto e uma névoa densa pairava pelo ar como uma mistura de neblina e fumaça na manhã de um dia nublado e úmido. Seus pais não estavam à vista e Laura olhava para todos os lados procurando por eles, para a esquerda e para a direita, à sua frente e para trás. Ela e Emma estavam completamente sozinhas, órfãs em um mar de crianças. Ela apertou a mão de Emma, sabendo que não poderia soltar. Soltá-la seria perder o último fio, a última ligação dela com alguém de

sua família. Alguém a empurrou bruscamente e ela virou-se e viu um homem com um olhar feio e malicioso. Ele abriu a boca e gritou "judia" na direção de Laura. O som repercutiu e ecoou pelo ar denso e, quando Laura cambaleou para frente, tropeçou e seus dedos escorregaram da mão de sua irmã.

— Emma! — ela gritou, mas o som da sua voz perdeu-se na densidade da fumaça que a engoliu. Foi nesse momento que Laura acordou.

O suor escorria da sua testa e a sua garganta parecia seca e fechada, como se ela estivesse engasgada com alguma comida. Laura percebeu que sonhos são piores do que histórias. Não é possível fechar o livro, deixá-lo de lado até estar pronta para lidar com ele. Os sonhos rastejam para dentro de nós quando não estamos olhando e nos seguram com força. Se ela tivesse três ou quatro anos de idade, teria corrido direto pra o quarto dos seus pais e, lá, na segurança dos braços da sua mãe, ela encontraria paz e consolo. Porém, Laura já havia crescido muito para esse ritual infantil. Em vez dele, ela ficou deitada na cama, assombrada pelas imagens do pesadelo até que a luz da manhã começou a entrar em seu quarto entre as sombras da janela e ela ouviu seus pais se levantarem e se prepararem para o dia que começava.

Laura ficou deitada e quieta por mais alguns minutos. Emma estava acordada e andava com suavidade pelo corredor, lembrando a sua mãe que ela havia prometido levar biscoitos para todas as crianças da sua classe. É loucura, Laura pensou. Ela tinha de parar de se sentir tão ligada às histórias de Sara, parar de se deixar afetar por elas. O que havia no diário que tinha tanto poder sobre Laura? Ela ainda não conseguia responder, tudo o que ela sabia é que alguma coisa a estava empurrando para frente, cada vez mais fundo na vida de Sara.

Quando Laura chegou à mesa da cozinha, sua mãe havia conseguido encontrar um pacote de biscoitos para Emma, que estava comendo feliz seu café da manhã e contando sobre as folhas que havia recolhido para um trabalho da escola.

— É o meu trabalho muito importante — Emma disse, franzindo as sobrancelhas, séria.

Enquanto respondiam para Emma, os pais de Laura também liam o jornal — seu ritual das manhãs —, dividindo as seções e passando-as de um para o outro. Laura pegou um pedaço de torrada e um copo de suco de laranja e se sentou. Rapidamente, pegou uma seção do jornal e sumiu por trás dela, esperando que seus pais não notassem seus olhos inchados e seu rosto pálido. Ela havia tentado jogar água fria no rosto para recuperar um pouco da cor dele, mas sabia que algumas coisas ela nunca conseguiria esconder de sua mãe. Ela sabia que passaria por um interrogatório.

Laura passou os olhos pelas manchetes, pulando de um artigo para o outro, quando, de repente, algo chamou a sua atenção e seu corpo endureceu. No meio da página, letras pretas e grossas quase pularam em cima dela.

CEMITÉRIO JUDEU VANDALIZADO

— Laura, não esqueça que você tem uma consulta no ortodontista depois da aula. Por isso, você precisa vir direto para casa — sua mãe falava com ela, mas Laura nem sequer ouvia o que ela dizia. — Laura, você está ouvindo?

Laura levantou o olhar do jornal e encarou sua mãe.

— O que foi? — sua mãe perguntou. — O que aconteceu?

— Vocês viram isto? — Laura sussurrou.

Ela colocou o jornal na mesa da cozinha para que todos pudessem vê-lo. Estava muito atordoada para dizer mais alguma coisa.

O pai de Laura pegou o jornal e o olhou rapidamente.

— Aqui diz que algumas lápides foram derrubadas e muitas quebradas ao meio.

Ele leu em voz alta:

Não há suspeitos no momento, mas a polícia acredita que alguns adolescentes possam ser os responsáveis pelo estrago. Ela pede a ajuda da população para obter informações que levem à prisão dos jovens envolvidos no crime.

— Isso é uma afronta! — ele disse, erguendo o olhar. Seu rosto estava totalmente vermelho.

Laura pegou o jornal de volta e continuou a ler. O artigo dizia que o diretor do cemitério havia descoberto o estrago quando chegou pela manhã e havia comunicado à polícia. As autoridades descreviam aquele como um caso claro de antissemitismo, *um ato desprezível de ódio contra a comunidade judaica*. Havia até uma frase do prefeito, que dizia estar cuidando do episódio com seriedade.

"Esse evento não será tolerado. Estou do lado de nossos amigos judeus e de todos os cidadãos decentes que condenam este ato sem sentido. Peço que a comunidade lute contra o antissemitismo onde e quando ele acontecer."

Também havia fotografias no jornal. Uma delas mostrava uma lápide caída de lado e quebrada ao meio. Alguém — um dos vândalos — havia

pintado com *spray* uma *suástica* na lápide, cobrindo o nome da pessoa que estava no túmulo com tinta vermelha brilhante. Laura sabia o que era aquela figura, Adolf Hitler havia adotado aquele emblema como símbolo do Partido Nazista. Todas aquelas antigas fotografias de Hitler sempre o colocavam em frente a grandes bandeiras com a suástica. E quando os nazistas haviam começado a proibir os cidadãos judeus de entrar em restaurantes, parques e escolas, haviam deixado o mesmo sinal pintado nas vitrines das lojas e nas portas dos restaurantes. Laura percebeu que as pessoas que pintaram suásticas no cemitério deviam sentir aquele mesmo tipo de ódio.

— Não posso acreditar que algo assim possa acontecer aqui — disse a mãe de Laura.

— Mãe?

Laura procurava no rosto de sua mãe algum sinal para tranquilizá-la. Até mesmo Emma, que costumava tagarelar, ficou assustada e em silêncio. Ela parou de comer e encarou seus pais, tentando absorver o que podia da conversa, consciente de que alguma coisa séria estava acontecendo.

— Sei que é perturbador, mas você não deve se preocupar, querida. Tudo vai ficar bem — sua mãe respondeu. — A polícia irá pegar os responsáveis. Nós conversaremos sobre isso depois.

Laura não conseguia falar. Ela conhecia aquele cemitério, era perto da escola e ela passava por ele todos os dias ao ir e voltar das aulas. O jornal chamava o evento de antissemitismo, "atos de ódio contra a comunidade judaica". Isso já era bastante assustador. Mas era ainda mais assustador saber que o ano não era 1939 e que eles não estavam na Polônia. Aquilo estava acontecendo nos dias de hoje e na cidade de Laura... No seu bairro! A comparação com o que ela estava lendo sobre a vida de Sara em Varsóvia era demais para ela.

Capítulo oito

Laura pegou o caminho mais longo para a escola. Ela queria andar ao longo do cemitério todo e ver, ela mesma, o que havia acontecido. No início, ela não conseguia ver nada. O cemitério parecia tão tranquilo quanto sempre fora. Morros verdes ondulantes e árvores enormes formavam um berço para as lápides alinhadas como as filas de carteiras na sala de aula de Laura. Mas, então, ela viu alguma coisa em um canto, perto de uma cerca de ferro trabalhado: uma faixa amarela da polícia amarrada em torno de várias árvores, em volta de uma pequena parte do terreno do cemitério. Laura se aproximou da cerca e apertou o rosto entre duas barras de ferro pretas. Ela conseguiu ver as lápides que foram derrubadas, as que apareceram no jornal. Mesmo daquela distância, as suásticas pintadas de vermelho brilhavam como placas de neon em um parque de diversões.

Vários policiais ainda estavam lá, patrulhando a área, garantindo que ninguém se aproximasse. Diversas pessoas estavam por perto. No início, Laura se perguntou se aqueles eram os suspeitos, mas, ao olhar com mais atenção, ela percebeu que deviam ser os familiares cujos entes queridos estavam enterrados na parte vandalizada do cemitério. Homens e mulheres estavam abraçados, muitos choravam ao olhar para o desastre em frente a eles. Laura não conseguia nem imaginar o quanto aquilo era doloroso para eles. Primeiro, perder um parente e, depois, ver o lugar de descanso daquele parente destruído e arrasado daquela maneira horrível. Apesar do calor do ar da manhã, Laura tremia sem controle.

Quando ela chegou à escola, o pátio estava cheio de alunos, todos conversando sobre o incidente no cemitério. Laura estava procurando Adam e, por fim, o avistou parado contra o muro. Ele estava usando uma das suas muitas camisetas dos Beatles, enfeitada com a foto de John Lennon e a mensagem "Dê uma chance para a paz" escrita abaixo dela.

— Você soube o que aconteceu no cemitério? — Laura perguntou ao se espremer pela multidão para se aproximar do amigo.

— Quem não ficou sabendo? — Adam respondeu. — Meus pais ficaram loucos hoje de manhã. Eles acham que o mundo ficou mau! E a polícia está por toda a escola.

Adam fez um gesto na direção da escada da escola e Laura seguiu com o olhar. Dois policiais estavam parados em frente à porta da escola. Eles estavam parando alguns alunos e conversando com eles atentamente.

— Por que eles estão aqui? — Laura perguntou.

Adam encolheu os ombros.

— O cemitério é quase vizinho à escola e a reportagem no jornal dizia que, provavelmente, foram jovens que fizeram aquilo. Eu acho que a polícia pensa que alguém daqui pode estar envolvido.

— Eles prenderam alguém? — Laura perguntou.

— Acho que não, acho que só estão fazendo perguntas, tentando encontrar alguém que possa ter visto o que aconteceu.

Laura e Adam pararam para observar a atividade perto da porta da escola.

— É tão estranho — Laura continuou. — Eu estou lendo o diário de uma menina durante o Holocausto. Ela fala sobre uma época em que os judeus

sofriam discriminação, coisas horríveis como sinais pintados em restaurantes ou teatros para que os judeus não entrassem. E, então, algo assim acontece bem aqui no nosso bairro. Coisas assim não deviam acontecer aqui.

Ela parou para organizar aqueles pensamentos.

— Ei, você viu a Nix? — Adam perguntou.

Os três geralmente se encontravam do lado de fora da escola naquele horário.

— Deve estar atrasada, como sempre — Laura respondeu, apreensiva.

Ela havia evitado Nix por dois dias e não tinha certeza se estava pronta para encará-la, não tinha certeza de como conversar com Nix depois daquele e-mail dela duas noites antes. De qualquer forma, o sinal estava prestes a soar e Laura precisava ir para a sua aula.

Com alguns minutos sobrando, ela de repente viu Nix andando devagar para a escola. Os seus olhos estavam nos policiais na porta da frente e ela estava prestando tanta atenção na atividade deles que quase passou por Laura e Adam sem vê-los.

— Ei, estamos aqui — Adam gritou.

Nix parou abruptamente e lançou um olhar para Laura e, depois, para Adam. Ela acenou, hesitante, e depois pareceu que iria continuar andando sem parar para conversar.

— Espere — disse Adam. — Qual é o problema?

— Eu... eu preciso ir para a aula — Nix respondeu.

— Desde quando você se preocupa em não se atrasar? — Adam perguntou.

Às vezes, ele também se frustrava com a mania de Nix de se atrasar.

— Ei, você ficou sabendo o que aconteceu no cemitério?

Laura ficou mais atrás, ainda não sabia o que dizer para a Nix. Ela deixou que Adam falasse.

— Sim, mas não é nada importante — Nix respondeu e virou-se para continuar andando.

— Você está brincando? — Laura explodiu. — É muito importante. A polícia está procurando por suspeitos.

Nix encolheu os ombros.

— Alguma criança idiota, acho eu.

— É mais do que isso!

Laura sentiu suas bochechas esquentarem e, de repente, tinha bastante a dizer.

— Destruíram túmulos. E pintaram suásticas neles... símbolos nazistas. Você viu o jornal?

Era mais do que Laura podia aguentar, ela não podia acreditar que Nix não estava incomodada com o acontecimento.

— É claro que eu vi — Nix disparou. — E daí? Nós não fizemos nada. Por que você está perdendo a calma?

Era como se ela estivesse diante de uma estranha. Laura ficou boquiaberta.

— Estou chateada porque é um cemitério judeu e não fizeram uma coisa idiota. Fizeram uma coisa horrível com os túmulos das pessoas... de judeus. Estou chateada porque estou lendo a história de uma menina judia na guerra e não havia ninguém para ajudá-la e coisas assim aconteciam com ela e a família dela. E estou chateada porque parece que você não entende nada disso. Por isso estou perdendo a calma!

O volume da voz de Laura estava aumentando. Como Nix podia se importar tão pouco, se interessar tão pouco?

— Você não fica incomodada com o que aconteceu?

Nix encolheu os ombros novamente e voltou a olhar para os policiais.

— O que você acha que vai acontecer se pegarem quem fez isso?

— Espero que o coloquem na cadeia — Laura respondeu.

— Mas ninguém se feriu, não é? — Nix continuou. — Como quando aqueles meninos da nona série quebraram uma janela nos fundos da escola. Eles pagaram pelo conserto e isso foi tudo.

— Mas aquilo foi um acidente, Nix. Isto foi completamente intencional... e terrível.

O comportamento de Nix estava ficando mais estranho e perturbador a cada minuto.

— Eu tenho de ir para a minha aula — Nix disse e saiu andando.

— Espere! — Laura disse.

— Estou atrasada — Nix gritou por cima do ombro.

— Você vai me encontrar na hora do almoço?

Por mais chateada que estivesse com a reação de Nix, Laura sentia que precisava conversar com ela e tentar fazê-la entender a situação. Porém, Nix continuou andando e não se virou para responder a Laura.

— Isso foi estranho — Adam disse, por fim. — O que você acha que aconteceu com ela?

— É como se ela não se preocupasse mais com nada importante.

Não era o jeito de Nix. Ela fazia parte do conselho de alunos, havia angariado dinheiro para abrigos de sem-tetos da cidade, salvava animais abandonados. Nix se importava com as coisas, com as pessoas. O fato de ignorar a maldade daquele crime ou sugerir que não fosse importante não fazia sentido nenhum. Laura parou e esfregou os olhos.

Ela estava muito cansada por ter dormido pouco e por causa dos eventos daquela manhã. Tudo parecia impossível de aguentar, o incidente no cemitério, o comportamento da sua amiga, a vida de Sara... tudo!

Capítulo nove

Naquele dia, depois da aula, Laura voltou para casa na companhia de Adam. Na hora do almoço, havia tentado encontrar Nix, mas sua amiga não estava à vista em nenhum lugar. No final, Laura almoçou sozinha, do lado de fora, na escada da escola. De onde ela estava sentada, podia ver o cemitério na mesma rua. Os carros da polícia ainda estavam em frente a ele e parecia haver movimento constante de pessoas indo e voltando do local onde os túmulos foram vandalizados. Os policiais já haviam saído da escola, mas, antes, haviam feito um anúncio pelo alto-falante. Disseram que estavam seguindo algumas pistas, mas ainda precisavam da ajuda dos alunos, que podiam saber alguma coisa sobre o acontecido.

— Qualquer informação, mesmo que seja pequena ou sem importância para vocês, pode ser fundamental para nós — disse o policial.

Quando os policiais terminaram de falar, o senhor Garret também se pronunciou. Ele incentivou os alunos a se manifestarem e ajudarem a resolver o crime.

Laura ouviu tudo aquilo sem se envolver muito. Ela ainda estava terrivelmente perturbada com o vandalismo no cemitério, mas, mais do que isso, estava chateada com o comportamento de Nix. Por que Nix a estava evitando e agindo de maneira tão estranha? Por que ela parecia não se importar com o incidente?

— Então, o que você está dizendo? Que acha que Nix é a culpada? — Adam perguntou enquanto eles passaram juntos pelo cemitério novamente. Havia um clima de mistério no ar, como se o crime ainda pairasse sobre o lugar, como uma capa.

— Não! Eu não sei. É claro que não! — Laura respondeu.

Era impossível imaginar que Nix pudesse estar envolvida de alguma maneira. No entanto, que outra explicação havia para a maneira que ela agia? Primeiro, havia a falta de interesse dela pelo diário de Sara e ela parecia não ligar para o vandalismo.

— Você a viu hoje de manhã, Ad. Ela mal olhou para nós. E ela fez aquelas perguntas sobre o que aconteceria se o culpado fosse pego. Depois, falou como se nada disso fosse importante.

— Então, você está dizendo que é como naquelas histórias que ouvimos sobre um vizinho gentil que, na verdade, é um assassino em série ou algo assim — disse Adam ao trocar a mochila de um ombro para o outro.

— Pare! Não é uma piada.

Já era bastante difícil pensar que Nix estivesse envolvida no incidente e Adam não estava ajudando.

— E o que você vai fazer a respeito? — Adam perguntou.

Laura balançou a cabeça.

— Não faço ideia, mas sei que tenho de conversar com Nix e descobrir o que está acontecendo.

Era isso que faltava. Sem uma conversa de verdade, tudo virava especulação e fofoca, e isso era perigoso.

— Quer que eu faça alguma coisa? Lembre-se do que John dizia: "*eu consigo com uma pequena ajuda dos meus amigos*".

Laura balançou a cabeça e sorriu.

— Obrigada. Eu irei avisá-lo se alguma coisa acontecer.

Laura começou telefonando para Nix assim que chegou à sua casa depois da consulta no ortodontista. No início, ninguém atendeu e Laura não quis deixar uma mensagem. Ela continuou ligando e ligando até que, finalmente, o irmão de Nix, Peter, atendeu ao telefone.

— Não... ahn... ela não está — ele disse. — Ei, vocês brigaram?

— Não — Laura respondeu, cansada. — Você sabe onde ela está?

— Ela... hum... saiu. Simplesmente saiu. Vou avisar que você ligou — e ele desligou o telefone.

Laura ficou sentada por mais um minuto, ainda segurando o telefone, ouvindo o tu-tu-tu da linha. A situação ficava mais estranha e preocupante a cada minuto. Nix não apenas a estava evitando na escola, mas também pelo telefone. Laura sabia que Nix devia estar em casa e, provavelmente, havia pedido ao irmão para mentir por ela. Mas por quê? Nas duas horas seguintes, Laura ficou sentada encarando sua lição de casa, sabendo que tinha muito trabalho a fazer, mas sem conseguir se concentrar. Ela só conseguia pensar em conversar com Nix e tentar acertar as coisas. Mais nada importava.

Onze horas. Era muito tarde para ligar para Nix de novo? Laura balançou a cabeça. Tinha de tentar mais uma vez, ela pensou ao pegar o telefone. Quando Nix atendeu, depois do quarto toque, Laura soltou a respiração devagar.

— Alô — a voz de Nix estava baixa e tímida do outro lado da linha, não se parecia em nada com a pessoa confiante que ela realmente era.

— Finalmente! — Laura gritou. — O que está acontecendo, Nix?

Quando Nix atendeu ao telefone, Laura quis manter a calma, mas tudo o que conseguiu fazer foi liberar sua frustração.

— Alguma coisa está acontecendo. Fale comigo... por favor!

— Não é nada. Olhe, estou muito ocupada agora. Eu a verei amanhã, prometo.

Laura sentiu que Nix ia desligar o telefone e não podia deixá-la fazer isso. Aquela era a sua chance de confrontá-la. Laura falou bruscamente:

— Foi você que fez aquilo? É por isso que você não quer falar comigo?

Silêncio. Nix havia desligado ou apenas ficado sem reação diante da acusação de Laura? Por fim, uma voz baixa do outro lado da linha respondeu:

— É isso que você pensa? Que eu realmente poderia *fazer* uma coisa dessas.

— Bem, você está agindo de uma maneira estranha e não fala nada. Ontem, você não deu importância para o diário que eu estou lendo e, hoje, não parecia se importar com essa coisa horrível que aconteceu. O que eu devo pensar?

Laura pôde sentir lágrimas quentes formando-se em seus olhos, mas as segurou. Ela não queria chorar e, ainda assim, sentiu-se perigosamente perto de descobrir alguma coisa sobre a sua melhor amiga que ela não queria saber. Isso a assustava.

Nix finalmente falou:

— Eu nunca faria algo assim. Você não sabe disso? E, sim, eu também acho que é horrível.

— Então, qual é o problema? Por que você está agindo assim?

Mais uma vez, tudo ficou em silêncio. Laura agarrou o fone, rezando em silêncio para que sua amiga se abrisse com ela. E, por fim, depois do que pareceu uma eternidade, Nix disse baixinho:

— Eu os vi.

— O quê?

Por um instante, Laura não entendeu o que Nix estava dizendo.

— Eu os vi... os meninos que fizeram aquilo. Eram três, eles estudam na nossa escola. Estão na nona série e você os conhece.

Ela fez uma longa pausa.

— São os mesmos meninos nos quais Adam esbarrou na semana passada.

Nix respirou fundo e continuou:

— Eu saí tarde da escola ontem por causa da reunião do conselho de alunos e pensei em pegar um atalho pelo cemitério. Eu havia acabado de chegar a uma grande árvore perto da cerca quando vi aqueles três meninos

perto das lápides. Eles pareciam estar fazendo algo de errado, então eu me escondi atrás da árvore para que eles não me vissem. Eu estava assustada, fiquei pensando no que eles disseram para o Adam. Fiquei pensando na ameaça deles e em como eles provocavam todo mundo.

"Pensei em simplesmente esperar que eles saíssem e, depois, ir para casa. Foi quando vi um deles pegar a lata de *spray*. Os outros dois derrubaram as lápides e o terceiro fez as pinturas com *spray*."

Nix continuou descrevendo que ficara assistindo a tudo, assustada e escondida atrás da árvore, sem saber o que fazer, rezando para que eles não a vissem.

— Eles finalmente foram embora e eu saí correndo de lá. Não olhei para trás, nem por um segundo.

Laura ficou sentada, ouvindo a história toda de olhos fechados e apertados, com uma mistura de emoções explodindo dentro dela. Alívio! Nix não havia cometido o crime no final das contas. Medo! Podiam ter machucado sua amiga se ela tivesse sido descoberta espionando. Raiva! Por que Nix pensava que não podia confiar nela?

— Você ia me contar?

— Estou contanto agora.

— Somente porque eu a obriguei!

Houve mais um longo momento de silêncio.

— Por que é tão importante? — Nix acabou perguntando.

Laura respirou fundo. Nix ainda não parecia entender.

— Você é uma testemunha — Laura disse.

— Eu sei — Nix respondeu.

— Bem, você tem de contar a alguém. Aos seus pais, à polícia.

— De jeito nenhum! — Nix gritou. — Aqueles meninos podem ser expulsos da escola por causa disso, podem ser presos. Você não entende? Se um deles descobrir que fui eu quem contou, podem vir atrás de mim.

— Mas foi você que disse a Adam que ele devia enfrentá-los — Laura estava lutando para permanecer calma.

— Eu sei — Nix disse —, mas é muito diferente quando você mesma está sendo ameaçada.

— Você tem que falar alguma coisa — Laura insistiu. — Não pode virar as costas e fingir que isso não aconteceu.

— É por isso que eu não queria contar para você.

O volume da voz de Nix estava aumentando do outro lado da linha.

— Não vou me envolver nisso. Deixe a polícia descobrir sozinha.

Laura estava tendo dificuldade para controlar os batimentos acelerados do seu coração e a sua raiva, que aumentava. Mas ela precisava se controlar se queria convencer Nix a se manifestar sobre o incidente.

— Você se lembra de quando aquele menininho sumiu da casa dele no mês passado e tentamos convencer nossos pais a nos deixarem participar da busca por ele?

Todos temiam que o pior tivesse acontecido ao menino de quatro anos, que ele tivesse sido sequestrado ou até morto. Por sorte, ele foi encontrado dormindo em um parque próximo. Ele estava brincando de esconde-esconde com alguns amigos e saiu andando para se esconder. Quando ninguém foi procurar por ele, ele pegou no sono e foi encontrado horas depois. Aquele incidente também foi para a primeira página do jornal.

— Nós duas mal podíamos esperar para nos envolver daquela vez — Laura disse.

— Era diferente — Nix respondeu. — Havia um grupo de pessoas tentando ajudar uma criancinha. Eu sou a única testemunha desta história, estou sozinha. Você não sabe como é. Não posso fazer isso, então, me deixe em paz — Nix finalmente bateu o telefone.

Laura desligou o seu telefone em silêncio e, depois, jogou-se na cama com as mãos na cabeça. Nix era uma covarde... e era egoísta. Estava pen-

sando apenas em si mesma e não nas famílias afetadas por aquele crime, na comunidade — a comunidade de Laura — que havia sido atacada. Era assim que ela se sentia, Laura sentia que a destruição no cemitério era um ataque ao seu povo... e a ela individualmente. E, ao se recusar a fazer alguma coisa e denunciar o crime, Nix estava lhe virando as costas. Nix a decepcionou.

Laura foi para a sua escrivaninha e olhou para a pilha de lição de casa. Havia tanto a fazer, mas estava tarde e ela estava exausta. E também havia o diário de Sara. Laura ainda não fazia ideia do que faria para aquele projeto, mas o tempo estava passando e o seu *bat mitzvah* estava chegando. Ainda havia muito em que pensar, Laura acreditava que tudo o que acontecera naquele dia no cemitério e com a Nix estava ligado à vida de Sara de alguma forma. Ela pegou o diário e, colocando o cabelo para trás das orelhas, abriu-o e continuou a ler.

14 de março de 1942

Deena e eu fomos roubar pão hoje. Não foi ideia minha, nem de Deena. Foi ideia de Mendel, o menino que mora no apartamento abaixo do meu. Ele tem catorze anos e é mais alto do que eu. Estava se gabando, dizendo que sabia entrar pelos fundos do prédio onde os nazistas armazenam a comida. Ele nos disse que, na semana passada, ele havia roubado três pães de forma recém-assados para a sua família. Três pães inteiros! Há duas semanas, eu fiquei na fila em frente à padaria por quatro horas só para tentar conseguir algumas fatias. Quando chegou a minha vez, todo o pão havia acabado e eu voltei para casa de mãos vazias.

Mendel adora se gabar, como na vez em que ele me disse que havia saído do gueto por um cano de esgoto ou quando disse que seu pai tinha um rádio, mesmo sendo proibido. Nunca tenho certeza se devo ou não acreditar nele, mas ele prometeu mostrar para mim e para Deena como roubar

Muitas famílias judias já haviam frequentado a Grande Sinagoga, na Rua Tlomacki.

pão, assim, concordamos em ir com ele. Eu não ousaria dizer a mamãe aonde estava indo, ela teria proibido, por isso, disse que estava indo à casa de Deena e voltaria logo. Acho que Deena contou a mesma mentira para os seus pais. Não posso ficar esperando para sempre que David me deixe ajudá-lo, preciso fazer alguma coisa para mostrar a ele que posso ser útil. Eu sabia que conseguir pão para a família provaria para ele que eu não sou um bebê.

O dia estava frio e úmido. Meu casaco é bastante quente, mas está muito pequeno para mim. As mangas alcançam apenas três quartos dos meus braços e os botões ficam repuxados. Não sei o que irei usar se ainda estiver aqui no próximo inverno, pois o casaco só servirá para Hinda quando isso acontecer, mas, por ora, é tudo o que eu tenho. Mamãe sempre reclama que estou crescendo muito rápido.

Encontramos Mendel a alguns quarteirões da Grande Sinagoga da Rua Tlomacki. Antes da guerra, minha família costumava ir a cerimônias religiosas nessa sinagoga. Quando eu era criança, sempre me impressionava com seu grande teto em forma de cúpula e os enormes pilares de pedra.

Eu me sentia pequena perto da grandeza da sinagoga. Agora, é claro, ela é apenas mais um prédio vazio e esquecido.

Detesto andar sozinha pelo gueto, há muitas pessoas doentes e morrendo pelas ruas. Algumas estão apenas pedindo comida, mas muitas não têm onde morar e as sarjetas se tornaram suas casas. Eles deixam as mãos esticadas, os olhos assombrados e vazios. Muitas vezes, essas pessoas doentes morrem lá mesmo nas ruas, ainda de braços esticados como estátuas. Nos seus rostos, uma expressão de choque, como se, de repente, percebessem que haviam sido completamente abandonadas. Os carrinhos passam duas vezes por dia para pegar os corpos e levá-los embora. Eu não sei para onde são levados e tateh não me conta. Eu não acho que esses homens e mulheres judeus e idosos tenham um enterro adequado como meu zaideh teve quando morreu. Não haverá rabino para dizer orações ao lado do túmulo deles, nenhum familiar para se lembrar deles e falar das coisas boas que fizeram em vida. A Bíblia diz que os judeus são o povo escolhido. Bem, neste momento, acho que somos o povo esquecido!

Era difícil passar pelas pessoas que pediam comida nas ruas.

Houve alguns surtos de febre tifoide no gueto. Esse é outro motivo de os meus pais ficarem tão preocupados quando eu saio de casa. A febre tifoide é causada quando ingerimos alimentos ou água sujos. É quase impossível encontrar água limpa no gueto e, no nosso apartamento, mãe tenta ferver a água para livrá-la da maior quantidade possível de germes.

Os cheiros no gueto são insuportáveis. Eu quase vomito e tenho de tapar o nariz com a manga. As sarjetas são imundas e atraem ratos, que fizeram do lugar sua casa, ao lado dos judeus. Os ratos carregam pulgas e outras doenças e ficaram tão audaciosos que avançam nas pessoas. Eles também estão passando fome e nos olham quase com escárnio com seu olhar cortante e dentes afiados. Enquanto Deena, Mendel e eu caminhávamos penosamente pelas ruas do gueto, eu tentava olhar só para a frente e não aspirar o ar. E andava rápido para não pisar em nenhum rato.

Mendel nos guiava, virando à esquerda e à direita, andando tão rápido que Deena e eu tínhamos de correr para acompanhá-lo. Pensei em ir embora diversas vezes, mas acho que Deena percebeu que eu poderia abandonar o plano, assim, ela segurou firme em meu braço e não me soltou. Ela é muito mais aventureira do que eu. Esse é um dos motivos pelos quais eu adoro tê-la como amiga, ela me leva a fazer coisas que eu normalmente não faria. Como na vez em que ela me convenceu a fazer um teste para a peça da escola. Eu nunca teria feito aquilo sem ela e acabei amando cada instante da experiência. Deena é meu lado corajoso e eu sou o lado sensato dela. Porém, dessa vez, no fundo da minha mente, eu continuava pensando em David. Se eu ia fazer alguma coisa para ajudar a "causa" dele, então tinha de ser corajosa. Tinha de deixar de lado meus medos, reais ou imaginários. Assim, Deena e eu seguimos Mendel aos tropeços até que a própria Deena começou a parecer preocupada.

— Mendel, pare! — ela ordenou ao virarmos a vigésima esquina. — Aonde você está nos levando? Não é um truque, é?

— Apenas me sigam e fiquem quietas — Mendel gritou por cima do ombro e continuou andando. E foi o que fizemos, até que Mendel finalmente começou a diminuir a velocidade. Depois, ele se virou para nos olhar.

— Agachem e fiquem perto desta parede — ele disse. — O prédio do armazém está logo ali.

Ele apontou para frente e ali estava, um pequeno prédio. A sua porta preta estava totalmente aberta e, enquanto observávamos, um homem entrou carregando um saco nas costas.

— É o pão — sussurrou Mendel. — Ele está trazendo os pães de forma para os soldados. Ele os deixará nos fundos do prédio enquanto vai buscar mais mantimentos. Assim que ele sair, nós entramos e pegamos o pão.

Mendel fez tudo parecer tão simples, mas eu sabia que não era. E se alguém nos visse? E se fôssemos pegos? Havia tantas coisas que podiam dar errado, tantas pessoas que poderiam nos ver. Havia a polícia judia que patrulhava o gueto. Às vezes, eram piores do que os nazistas. Os policiais conseguiam favores para eles mesmos e para as suas famílias trabalhando para os nazistas. Se os nazistas nos pegassem, com certeza nos matariam. Se a polícia judia nos pegasse, seríamos entregues aos nazistas. De qualquer forma, estaríamos perdidos.

Eu olhei para Deena, mas ela não olhava para mim. Por isso, respirei fundo e pensei em bubbeh e Hinda. Eu ia conseguir comida para a minha família, ia provar a David que posso fazer mais do que ficar sentada. Esses pensamentos eram mais importantes do que qualquer perigo que eu pudesse imaginar. Assim, segui Mendel quando ele se lançou para a porta aberta e olhou para dentro. Um instante depois, ele se virou e acenou para que Deena e eu ficássemos paradas. Em seguida, desapareceu dentro do prédio. Eu prendi a respiração, contando os segundos e imaginando se Mendel iria reaparecer ou se nós seríamos abandonadas e teríamos de voltar ao apartamento. E, finalmente, a cabeça dele apareceu na porta dos fun-

Qualquer um podia ser pego roubando.

dos como um brinquedinho de mola saltando de uma caixa. Ele estava com um grande sorriso e segurava dois pães de forma como troféus. Triunfante, Mendel jogou os pães para Deena e eu. Depois, ele indicou que entraria para pegar mais. Um segundo depois, ele desapareceu.

Eu apertei o pão de forma em meus braços como se fosse um tesouro e você não pode imaginar como o cheiro era maravilhoso. Ele me dominava, hipnotizava. Por um momento, fui tentada a colocar tudo na boca. David estava certo, o mais difícil ao roubar comida era não comer tudo bem ali. Porém, continuei dizendo a mim mesma que a comida era para a minha família. Mamãe e tateh ficariam muito felizes, quero dizer, depois de passarem pela fúria por eu ter saído para fazer isso. Não iria me preocupar com isso naquele momento. Certamente, a alegria deles por conseguir aquele tesouro inesperado substituiria qualquer raiva que tivessem.

Eu realmente pensei que escaparíamos bem da aventura. Eu sorri para Deena daquela maneira que diz "acabamos de compartilhar uma grande aventura e estou feliz por isso". Porém, de repente, minha animação desapareceu, quando ouvi um apito estridente cortar o ar junto com o som da polícia gritando do outro lado do armazém.

Um segundo depois, Mendel reapareceu e, dessa vez, até ele parecia com medo.

— Corram! — ele gritou ao sair correndo pela rua.

Por um instante, eu congelei e, depois, Deena agarrou o meu braço e corremos atrás de Mendel. Um coro de gritos e apitos nos seguiu ao virarmos uma e outra esquina, mas eu não olhei para trás. Eu estava esperando tiros a qualquer momento. Esperava que a polícia ou os nazistas, quem quer que estivesse nos seguindo, nos alcançasse bem ali e tudo estaria acabado. No entanto, enquanto isso, eu corria atrás de Deena para salvar minha vida.

De repente, eu tropecei e cai de encontro a Deena, quase derrubando os óculos dela. Quando eu a agarrei desesperada, nossos pães voaram das nossas mãos. Deena hesitou por um segundo, como se realmente fosse parar para pegar o pão. Mas eu a puxei e continuamos correndo.

Alguns minutos depois, os apitos e gritos pararam. Deena e eu continuamos correndo até acharmos que estávamos seguras e somente então paramos. Mendel já não estava por perto e demoramos muito para encontrar o caminho de volta para casa.

Nunca contei aos meus pais sobre a nossa aventura, mas contei a David. Ele acenou com a cabeça e olhou para mim com um respeito que não tinha antes. Talvez eu tenha provado alguma coisa a ele no final das contas. Não falei com Mendel durante dias depois daquilo. Eu não sabia o que me deixava mais brava, quase termos sido mortos ou termos falhado e perdido o pão.

Eu espero que uma pessoa idosa e doente que mora na rua tenha achado o pão. Espero que os ratos não tenham ficado com ele.

Sara Gittler

25 de maio de 1942

Hoje eu consegui! Virei um soldado e tudo graças a David.

A verdade é que quase havia desistido de acreditar que poderia fazer algo útil aqui no gueto. Eu havia desistido de esperar que David confiasse em mim, acreditasse em mim o suficiente para me deixar ajudar. Estava resignada a pensar que passaria meus dias aqui apenas sonhando em lutar e pronto. Mas tudo mudou hoje.

Eu acordei pela manhã e percebi que havia algo diferente em David. Ele estava agindo ainda mais estranho do que o normal, andando pelo apartamento, olhando para mim pelo canto do olho, indo até a janela pelo menos cem vezes. Até bubbeh, que geralmente estava envolvida em si mesma, parecia sentir que David estava esquisito. Certa hora, ela caminhou até ele e disse:

— Saia um pouco, David, você está me deixando nervosa!

Foi quando David olhou diretamente para mim. Nossos olhos se cruzaram e ele fez um movimento muito discreto com a cabeça, indicando que eu devia segui-lo. Nós saímos do apartamento e fomos para o pátio. Lá, David me puxou para trás de uma porta. Quando teve certeza de que não havia ninguém em volta, aproximou-se de mim e disse:

— Você disse que queria fazer alguma coisa, mas está mesmo preparada para ajudar?

No início, congelei. Lá estava eu, finalmente diante da oportunidade que estava esperando e estava quase atordoada demais para responder.

— Bem, está ou não? — a voz de David estava cada vez mais alta e cheia de urgência.

Dessa vez, afirmei com a cabeça, mas ainda não conseguia falar.

Foi quando David me contou o que queria que eu fizesse.

— Precisamos de um mensageiro — ele disse. — Alguém pequeno, que consiga se movimentar com rapidez e facilidade pelos canos do esgoto.

David seguiu explicando que havia uma carta que precisava ser entregue do lado de fora. Um contato aguardava do outro lado dos portões do gueto, ele pegaria a carta e daria outra em troca. David colocou a mão no bolso e tirou um pequeno envelope marrom. Estava selado e sujo e não havia nada escrito. David o virou em suas mãos e, depois, olhou para mim.

— Eu já saí muitas vezes, poderia ser visto. Mas seu rosto é desconhecido. Eu lhe mostrarei aonde ir e quem procurar. Você entregará esta carta e trará de volta a que receber, entendeu?

Eu olhei para a carta e, depois, para David.

— O que tem aí? — eu finalmente perguntei.

David balançou a cabeça.

— Quanto menos eu contar, melhor — ele respondeu. — Apenas saiba que você fará contato com grupos lá fora que estão nos ajudando com armas e informações sobre os planos dos nazistas. Temos mensageiros indo e voltando há meses.

Sua expressão ficou mais suave.

— Não tem problema recusar a tarefa — ele disse. — Não tem problema se tiver medo, eu irei entender.

Eu estava com medo, não havia dúvidas. Ainda nem havia começado a missão e meu coração batia tão forte que eu pensei que David conseguiria ouvi-lo! Mas sabia que estava pronta para ajudar. Dessa vez, não precisava de Deena nem Mendel para me desafiar. Eu estava pronta sozinha. Olhei para David e disse:

— Vamos lá.

E lá fomos nós, caminhando rapidamente pelas ruas do gueto, virando aqui e ali. Dessa vez, nem notei as pessoas nas sarjetas. Não vi os pedintes ao longo das ruas. Segui David de perto até que finalmente dobramos uma esquina e entramos em uma rua pequena e deserta. Eu não sabia

As ruas do gueto estavam lotadas de pessoas.

onde estávamos e isso não importava. David foi até uma grade do esgoto na lateral da rua. Ele se curvou e retirou a grade, ela fez um barulho agudo de metal raspando contra metal. Eu olhei ao meu redor. Alguém escutou? Havia pequenos prédios sem janelas naquela parte do gueto e ninguém nos observava a não ser um velho gato muito magro, que dormia perto da sarjeta e levantou a cabeça na nossa direção.

— Esperarei por você aqui — David sussurrou.

Ele colocou a carta no fundo do bolso do meu casaco, olhou ao redor mais uma vez e, então, fez um sinal para que eu entrasse no cano. Era esse o momento. Não havia tempo para pensar. Eu respirei fundo e desci para a escuridão.

Se o cheiro era ruim nas ruas do gueto, dentro do cano de esgoto ele era quase insuportável, uma mistura de lixo com alguma coisa apodrecendo. Nem queria pensar se era animal ou humano, não queria pensar que podia tropeçar. Tapei o nariz e desci a pequena escada de metal para as entranhas do gueto.

Quando cheguei ao fundo, olhei ao meu redor, esperando que meus olhos se acostumassem com a escuridão. David disse-me para ir para a direita e foi para lá que eu segui, evitando tocar nas paredes pegajosas, caminhando com cuidado e rapidez pelas poças, pedras e detritos. Em todas as bifurcações do túnel, eu ia para a direita, lembrando-me das instruções de David. Quando a passagem ficou muito estreita, eu me abaixei bastante para não bater a cabeça nas rochas cheias de pontas acima de mim. Não era de espantar que precisassem de alguém pequeno para aquilo, eu pensei. Um adulto nunca passaria por aquelas pequenas aberturas.

Quanto tempo fiquei no esgoto? Dez minutos? Uma hora? Eu não tinha ideia da passagem do tempo. Continuei seguindo em frente, tentando ficar calma, tentando não pensar em nada além das instruções de David. Quando vi o brilho suave de uma luz acima de mim, soube que estava perto da entrada e apertei o passo.

Havia um buraco redondo no final do túnel, cheio de galhos e pedras, que David disse que foram colocados lá para esconder a entrada. Espiei por alguns espaços, olhando em todas as direções para ter certeza de que ninguém estava vendo. David disse que aquela parte do esgoto saía atrás de um depósito abandonado. Os nazistas não haviam descoberto

As crianças sorriam, mesmo estando com frio e fome.

aquela abertura na parede, pelo menos por enquanto. Não havia ninguém à vista. Colocando de lado os galhos e pedras, saí do esgoto, parando por um momento para limpar a sujeira e a poeira do meu casaco e dos meus sapatos.

— Limpe as evidências de que esteve no esgoto — David havia dito. — Não levante suspeitas.

Eu me perguntava se, antes de explodir, o coração humano podia bater tão forte quanto o meu batia naquele momento. Enquanto pensava, virei a esquina do depósito abandonado e saí para as ruas de Varsóvia. Eu sabia onde estava, perto da esquina das ruas Zelazna e Grzybowska, em uma pequena praça aberta por onde eu havia passado com minha mãe centenas de vezes antes de a guerra começar e os muros serem construídos. As ruas estavam lotadas de pessoas andando rápido para todos os lados. Eu queria parar e saborear aquele momento de liberdade, queria jogar os braços para cima e a cabeça para trás e respirar o ar daquele lado do muro. Mas não podia. De repente, senti como se a luz de um holofote estivesse em mim. Senti-me mais judia do que nunca. Os outros certamente me notariam, com meus cabelos e olhos escuros e meu rosto de traços pouco delicados. Eu não devia estar aqui, pensei, de repente, em pânico. Aquela missão era para outra pessoa, eu com certeza seria presa. A polícia encontraria a carta e seguiria a pista até chegar a David e quem quer que estivesse trabalhando na missão também. Aquilo era um erro!

Meu cérebro parecia estar gritando. Foi quando olhei à minha volta e vi que ninguém estava interessado em mim. Homens e mulheres andavam de cabeça baixa, evitando uns aos outros. Os policiais na esquina iam de lá para cá casualmente, os rifles apoiados nos ombros. Eu tinha de me acalmar e terminar o que havia começado.

Eu estava procurando uma mulher com um casaco de lã verde e um cachecol verde. Eu a achei com facilidade, parada perto de um poste de luz. Nosso encontro durou apenas alguns segundos.

— Com licença. Você sabe onde fica a mercearia da Rua Nowolipki? — eu perguntei.

Ela concordou com a cabeça, reconhecendo a pergunta que David me havia dito para fazer. Eu tirei o envelope do bolso e entreguei a ela, ela me entregou outro. Essa troca demorou apenas alguns segundos e, depois, ela se foi, desapareceu na multidão de pessoas sem nome das ruas de Varsóvia.

Quase não me lembro da minha volta para o gueto. Tudo de que me lembro é que refiz meus passos, como David havia dito, saí do esgoto e o encontrei esperando por mim. Entreguei o envelope a ele, ele fez um aceno com a cabeça e nós dois fomos para casa.

Nenhuma pergunta, nada de conversa. Não era necessário. Mas a verdade é que estou diferente agora, mais adulta, com menos medo. Sempre pensei que ser livre dependia do lugar onde estamos. Os muros do gueto haviam tirado de mim toda ideia de liberdade que eu tinha, mas, de repente, percebi que a liberdade não depende apenas de onde você está. A liberdade depende de quem você foi e quem você escolheu ser. Naquele dia, ao concluir a missão para David e a causa, senti que era mais livre do que nunca.

Sara Gittler

6 de agosto de 1942

Hoje aconteceu algo muito horrível. É quase impossível escrever, mas tenho de contar. Tenho de ver as palavras escritas na minha frente para saber que é verdade. Nesta manhã, os nazistas entraram no gueto em uma missão para prender o máximo de pessoas possível. Eles invadiram um apartamento atrás do outro, empurrando as pessoas para as ruas e fazendo--as marchar para a Umschlagplatz, a praça principal de onde iriam entrar em trens. Não importava se eram novos, velhos, doentes ou saudáveis. Se o apartamento estivesse na lista, todos tinham de ir. Eu espiei da janela do nosso apartamento, com cuidado para ficar atrás da cortina rasgada e não ser vista.

Porém, vi Mordke na rua, o garoto cujos pais foram presos por contrabandearem comida para o gueto. E vi Luba, o amigo de David, junto com seus pais, e outras pessoas que eu conhecia e com quem conversei quase todos os dias desde que cheguei ao gueto. Todos estavam em pé na rua, abaixo da minha janela, parecendo perdidos e com medo.

No entanto, isso não foi o pior. O pior foi quando vi Deena sair do seu prédio com as mãos sobre a cabeça e um rifle nazista encostado nas suas costas. Deena não estava usando óculos. Ela deve ter sido forçada a sair do apartamento sem poder colocar os óculos! Assim que a vi entrar na fila com seus pais, minha primeira ideia foi sair correndo para a rua. Eu queria me jogar na frente dos soldados nazistas e exigir que soltassem Deena e todos os outros judeus que seriam deportados. Mas quem eu estava enganando? Não havia nada que eu pudesse fazer para salvar Deena. Deena! Minha melhor amiga! A pessoa com que compartilhei todos eventos importantes da minha vida. Que acaso havia determinado que ela deveria ser presa enquanto eu, por ora, estava segura ainda? Tudo o que me restava fazer era assistir enquanto ela e outras pessoas eram forçadas a andar pelas ruas. Eu queria desesperadamente gritar para ela. Queria que ela visse que eu a estava vendo. Eu queria dizer a ela para ser corajosa e queria que soubesse que vou guardar os seus desenhos, todos eles, até ela voltar para pegá-los e virar uma artista famosa. Queria que ela me ouvisse dizer que ela vai voltar.

Um senhor idoso foi empurrado com crueldade e caiu pesadamente no chão. A esposa dele tentou levantá-lo, gritando e chorando como se fosse ela que tivesse caído. Depois, um jovem rapaz tentou ajudá-lo, mas um soldado nazista chegou perto dele em um segundo e o golpeou nas costas com a coronha do seu rifle. Eram então dois homens caídos no chão. Crianças choravam e adultos gritavam.

De repente, virando uma esquina, vi o doutor Korczak e, atrás dele, todas as crianças do orfanato. Fiquei muito triste por ele e as crianças também estarem prestes a serem levados embora. Pensei que as crianças deviam estar apavoradas e sentindo-se mais sozinhas do que nunca. Porém, aconteceu algo incrível. Diferente das pessoas que gritavam e choravam, o doutor Korczak estava andando calmamente, com passos vagarosos e regulares. As crianças seguiam atrás dele em filas, quatro por fila. Elas mantinham as cabeças erguidas, orgulhosas. Na frente do grupo, ao lado do doutor, estava meu pequeno amigo, Jankel. Ele carregava uma bandeira que antes balançava do lado de fora da porta do orfanato. Era verde com flores brancas de um lado e tinha a estrela de davi no outro.

Os judeus eram reunidos e marchavam para a Umschlagplatz para serem deportados.

As pessoas nas ruas ficaram em silêncio quando as crianças passaram. Elas abriram caminho para o doutor Korczak. Era quase como Moisés abrindo as águas do Mar Vermelho, embora, dessa vez, as crianças não estivessem sendo guiadas para a Terra Prometida. Elas estavam sendo levadas para um destino terrível e, ainda assim, ninguém chorava. Elas marchavam com dignidade e coragem. Foi a coisa mais triste e corajosa que eu já testemunhei.

Foi quando tateh me tirou de perto da janela e não me deixou voltar para lá.

— Há algumas coisas que olhos jovens não devem ver — ele disse ao fechar a cortina e me levar para a cozinha. Mas eu queria ver. Assim como tenho de escrever estas palavras nesta página, eu tinha de ver o que estava acontecendo aos meus amigos. Alguns meses atrás, senti a emoção de fazer algo útil no gueto. Quando agi como mensageira para David, senti mais esperança e confiança de que, talvez, pudéssemos fazer mais e mais para afastar os nazistas. Agora sinto a esperança escoar do meu corpo.

— Para onde os nazistas os estão levando? — eu perguntei.

Tateh estremeceu e olhou para mamãe. Eles trocaram um olhar que me disse que sabiam a resposta, mas não queriam contar para mim.

Eles estavam me protegendo novamente, como se eu fosse criança. Mas eu não sou um bebê como Hinda. Já vi muitas coisas, as pessoas crescem rápido aqui e eu já vi mais do que a maioria dos adultos de fora do gueto vai ver em sua vida inteira.

— Diga-me, tateh — eu implorei. — Preciso saber.

Foi quando David falou. Até então, ele estava sentado em um canto com a cabeça baixa.

— Eles estão indo para campos de extermínio! — ele gritou.

As palavras ficaram pairando pelo ar e, de repente, senti um enjoo muito grande.

Sara Gittler

Capítulo dez

— Estou tão feliz que tenha me ligado, Laura — disse a senhora Mandelcorn. — Na minha idade, não recebo muitas visitas. Mais bolo?

Laura estava sentada na sala de estar da senhora Mandelcorn. Dois dias haviam se passado desde o incidente no cemitério. A polícia ainda não havia conseguido resolver o crime e ainda pedia à população que trouxesse informações.

— A polícia acha que aconteceu durante o dia — o pai de Laura disse na manhã seguinte. — Com certeza alguém deve ter visto alguma coisa. Talvez alguém da sua escola, filha?

Laura engoliu a comida sentindo-se culpada e olhou para o outro lado. Ela não sabia responder à pergunta de seu pai e era irritante ficar sentada lá, sob seu olhar inquisidor. Ela queria gritar e dizer "sim! Alguém viu e esse alguém é a minha amiga!", ou melhor, "minha melhor amiga". Laura e Nix não haviam se falado desde a sua conversa por telefone tarde da noite. Desde o começo do ano, nunca haviam ficado tanto tempo sem se falar. Mesmo quando Nix e a família viajaram para o Caribe no Natal, as duas trocaram e-mails todos os dias. Mas as linhas de comunicação entre elas ficaram frias e silenciosas.

Na escola, Laura evitava a amiga, fazendo o caminho mais longo ao redor das escadas e pelos corredores para não cruzar com ela sem querer entre as aulas. Ela almoçava com Adam e tentava evitar conversas sobre a Nix e os eventos no cemitério.

— Eu acho que ela é culpada — Adam declarou no dia seguinte, quando se jogou no banco ao lado da Laura no refeitório.

— Fique quieto! — Laura respondeu rispidamente, mas arrependeu-se quando viu a expressão ofendida dele. — Desculpe, é que eu estou lotada de trabalho: lição de casa, meu *bat mitzvah*, o diário de Sara. E agora essa história do cemitério. Prefiro não falar sobre a Nix, certo?

Adam encolheu os ombros e voltou para o seu almoço. Porém, embora não estivesse falando sobre os eventos recentes com ninguém, Laura com certeza não conseguia parar de pensar neles, dia e noite. E ficou pior depois de ler a última passagem no diário de Sara, contando como sua amiga Deena e outras pessoas foram reunidas para serem deportadas do gueto. Laura teve mais dois sonhos na noite anterior. Em um, ela lutava pela liberdade. Ela se arrastava de barriga no chão por um túnel escuro com uma arma na mão e, quando acordou, seus lençóis e cobertores estavam completamente bagunçados. Quando finalmente voltou a pegar no sono, ela sonhou que ela, Adam e Nix estavam em um trem rumo a um destino desconhecido e terrível. Aquele sonho foi ainda mais aterrorizante que o primeiro.

No dia seguinte, Laura decidiu visitar a senhora Mandelcorn. Talvez pudesse conversar com aquela senhora de uma maneira que ainda não conseguia conversar com seus pais ou com Adam.

— Então, o que posso fazer por você, querida? Você parecia tão infeliz ao telefone.

A senhora Mandelcorn havia deixado Laura esperando na sala de estar de novo quando ela chegou ao apartamento. Mas, naquele momento, ela deu um suspiro fundo e acomodou-se no sofá.

Por onde começar? Havia tantas coisas que Laura queria perguntar... Sobre o diário, a vida de Sara, o vandalismo no cemitério, Nix. Ela tomou fôlego e, finalmente, teve coragem.

— Estou lendo sobre a deportação de Deena do gueto. Deve ter sido horrível para Sara ver sua amiga ir embora daquela maneira.

Mais uma vez, uma sombra passou pelos olhos da senhora Mandelcorn. Ela estava sentada pesadamente, respirando fundo, como se estivesse entrando em transe, transportada para outro tempo e lugar. E, então, ela começou a falar devagar, contando alguns fatos históricos que Laura não conhecia.

— Eventos como aquele aconteceram no verão de 1942. Todos os dias, milhares de homens, mulheres e crianças judias eram levados para a estação de trem na Umschlagplatz, colocados em vagões de carga e levados para Treblinka. Você já ouviu falar desse campo de concentração, Laura?

— Já ouvi falar, mas não sei muito sobre ele.

— Foi um dos piores campos de concentração, cerca de cem quilômetros a noroeste de Varsóvia. Havia dois campos lá, Treblinka I, um campo de trabalho forçado, e Treblinka II, onde ficavam as câmaras de gás.

Laura sabia da existência das câmaras de gás. Ela se encolheu ao pensar em como milhões de judeus foram mortos.

Homens, mulheres e crianças entravam nos trens com destino a Treblinka.

— O caminho do campo I para o campo II chamava-se *Himmelstrasse* — a senhora Mandelcorn continuou.

— O que isso significa? — Laura perguntou.

A senhora Mandelcorn soltou uma risada amarga.

— A estrada para o paraíso — ela disse. — Era como os nazistas o chamavam. É claro que, na verdade, era um caminho que levava à morte.

Laura estava petrificada com tudo que ouviu. Até o sotaque da senhora Mandelcorn havia se tornado irrelevante, soava ao fundo, quase imperceptível.

— Você consegue imaginar isso, Laura? Os nazistas decoraram a entrada de Treblinka para que se parecesse com uma estação de trem. Havia uma placa com os horários dos trens na parede, listando as chegadas e as partidas. Havia pôsteres por toda a parte com lugares para visitar. Havia até um grande relógio, indicando a próxima chegada.

Os nazistas decoraram a entrada de Treblinka para que se parecesse com uma estação de trem comum.

— Por que fizeram isso? — Laura falou subitamente.

A senhora Mandelcorn encolheu os ombros.

— Tudo fazia parte da enganação criada pelos nazistas. Os prisioneiros achavam que encontrariam outros familiares lá. Eles não suspeitavam que estavam prestes a serem mortos.

Com isso, a senhora Mandelcorn baixou a cabeça, balançando-a em silêncio de um lado para o outro. Quando finalmente levantou o olhar, havia lágrimas nos seus olhos.

— Às vezes, as memórias são uma coisa perigosa — ela disse. — Muitos fantasmas no passado.

— Como a senhora sabe tudo isso? — Laura perguntou. — Onde estava?

Mais uma vez, a senhora Mandelcorn baixou a cabeça. Laura sentiu que não poderia pressioná-la mais, no entanto, sua própria cabeça estava latejando. Havia tantas perguntas, tantas coisas que queria saber. E uma pergunta era mais forte, o que havia acontecido a Deena e Sara? De alguma forma, Laura não tinha coragem de perguntar. Ainda precisava terminar de ler o diário, faltava ainda uma parte. No entanto, ela temia o final mais do que nunca.

— A maioria das pessoas foi morta naqueles transportes — continuou a senhora Mandelcorn, com mais suavidade, como se lesse os pensamentos de Laura. — Poucos sobreviveram.

Depois, ela sacudiu a cabeça.

— Venha, coma mais um pedaço de bolo. Você parece um passarinho. Coma, coma.

Laura suspirou. Estava claro que a senhora Mandelcorn não queria mais falar sobre o passado. E Laura também não queria. Em vez disso, ela mudou o assunto para os eventos no cemitério.

— A senhora não fica chateada por isso estar acontecendo agora?

A senhora Mandelcorn concordou com a cabeça lentamente.

— É terrível que isso tenha acontecido, mas você tem de lembrar que moramos em um país democrático onde atos de antissemitismo não são tolerados. Não estamos na Alemanha ou na Polônia nazista, onde discriminar judeus era aceitável, era até mesmo a lei. Eu confio que a polícia vai encontrar quem fez aquilo e fazer justiça.

"Bem, poderia encontrá-los bem mais rápido se tivesse ajuda", Laura pensou com tristeza.

— Mas isso não é tudo, é? — perguntou a senhora Mandelcorn, observando Laura atentamente. — Há mais alguma coisa que a incomoda?

Laura remexeu-se, desconfortável. Ela estava prestes a trair Nix contando a uma total estranha o que ela sabia sobre o vandalismo? E era traição falar a verdade? Nix estava errada em virar as costas para aquele crime. Disso Laura tinha certeza. E era por isso que estava se sentindo tentada a fazer alguma coisa, a contar a alguém. Algo na senhora Mandelcorn atraía a confiança de Laura. Não conseguia explicar o porquê, já que mal a conhecia, mas, ainda assim, havia uma ligação importante entre elas.

— Eu tenho uma amiga — Laura começou a dizer, com cuidado. — Ela acha que pode saber alguma coisa a respeito do vandalismo, mas está com muito medo de contar.

— Ah, entendo — disse a senhora Mandelcorn, concordando lentamente com a cabeça.

Laura explicou que os culpados eram valentões conhecidos na sua escola.

— Mas minha amiga está completamente errada em não dizer a verdade, não é? Quero dizer, ela está sendo muito covarde. Está pensando apenas em si mesma e não nas vítimas da situação.

Laura finalmente estava conseguindo falar o que sentia e já não conseguia interromper seu desabafo.

— Meu professor disse certa vez que o Holocausto não aconteceu nas câmaras de gás. Quando elas surgiram, já era tarde demais. O Holocausto aconteceu nos atos de discriminação como esse, um após o outro, sem que ninguém fizesse nada a respeito.

— É verdade — disse a senhora Mandelcorn. — Não havia muitas pessoas dispostas a serem testemunhas e enfrentarem as ameaças dos nazistas à sua própria segurança. Eu sei o que o medo pode fazer com as pessoas.

— O que você faria se estivesse no meu lugar? — Laura perguntou com a voz baixa. — Você também ficaria quieta ou iria falar com a polícia?

Laura já havia imaginado a cena, a cadeia de eventos que viria depois disso. Ela iria delatar Nix, que seria forçada a confessar a história para a polícia, que prenderia os adolescentes que cometeram o crime. Mas valeria a pena? Ela ameaçaria sua amizade com Nix e, possivelmente, sua própria segurança. Era difícil saber o que fazer.

A senhora Mandelcorn colocou a mão no braço de Laura.

— Acho que essa é uma pergunta que você deve fazer a si mesma.

Laura virou o rosto.

— É o diário, o diário de Sara. É ele que está me fazendo pensar tanto.

As histórias de Sara a estavam incentivando a fazer alguma coisa. Afinal, ela iria homenagear a vida de Sara com o seu próprio *bat mitzvah*. Se não fizesse nada com a informação sobre o crime no cemitério, que significado realmente teriam as histórias e a vida de Sara? Havia apenas uma resposta e Laura sabia disso.

Ela se virou para olhar a senhora Mandelcorn.

— A senhora teve um *bat mitzvah*?

A senhora Mandelcorn balançou a cabeça e um pequeno sorriso surgiu em seus lábios.

— Não — ela respondeu. — Garotas como eu não podiam ter esse tipo de coisa.

— Quer ir ao meu? Quero dizer, não precisa ir se não quiser. Mas a senhora tem me ajudado tanto. Pode levar alguém com você, talvez a sua irmã.

Naquele momento, um sorriso maior se abriu no rosto da senhora Mandelcorn.

— Obrigada, querida. Será uma honra.

Capítulo onze

Naquela noite, Laura teve um sono melhor do que tinha havia dias. Era como se toda a incerteza, toda a confusão dos últimos dias tivesse sido levada embora. Laura tinha certeza do que devia fazer. Com ou sem a Nix, ela iria falar para as autoridades o que sabia sobre o vandalismo no cemitério. A polícia então iria agir e, dali em diante, os acontecimentos estariam fora do seu controle. Porém, ela iria dar esses primeiros passos.

Antes de se deitar, Laura enviou um e-mail para Nix contando a ela o que planejava fazer. Ela achava que devia isso à sua amiga. Laura pensou bastante no que queria dizer, a senhora Mandelcorn a havia lembrado que as pessoas se assustam quando têm de dar um passo à frente e enfrentar uma ameaça.

— Quando estão diante desse tipo de perigo, as pessoas se sentem isoladas, como se estivessem sozinhas no mundo — a senhora Mandelcorn havia dito.

Por isso, antes de mais nada, Laura queria que Nix soubesse que não estava sozinha.

Lembra-se de quando assistimos a Os três mosqueteiros *na escola no ano passado. Lembra-se do lema deles? "Um por todos e todos por um". A união faz a força, Nix. Eu sempre serei sua amiga.*

Depois, Laura apertou a tecla de envio e foi dormir de consciência limpa.

Na manhã seguinte, ela fez o caminho mais longo para a escola novamente, passando pelo cemitério. Daquela vez, a fita amarela já não estava mais lá e não havia sinal da polícia. Alguns trabalhadores estavam no local onde as lápides foram vandalizadas, pegando as partes quebradas e colo-

cando-as em caminhões para serem levadas embora. Ela sabia que logo elas seriam substituídas por novas lápides e todas as evidências do crime desapareceriam. Mas será que desapareceriam para as famílias daqueles que estavam enterrados lá? Será que desapareceriam do coração e da mente de outros judeus da vizinhança? Um segundo artigo havia aparecido no jornal sobre a continuação do caso e dizia que alguns membros da comunidade judaica estavam preocupados que atos parecidos acontecessem novamente. Às vezes, é possível tratar uma ferida sem que a pessoa pare de sentir dor. A dor é mais difícil de ser curada.

Quando se aproximou da escola, Laura viu uma movimentação. As pessoas estavam andando para lá e para cá de maneira confusa, conversando em segredo em pequenos grupos. Havia um burburinho pelo prédio.

— O que aconteceu? — Laura perguntou a vários alunos enquanto passava.

— Pegaram os culpados — um menino respondeu. — Os vândalos que pintaram as lápides.

Laura não podia acreditar no que estava ouvindo. Ela escutou uma confusão atrás de si e virou-se a tempo de ver os policiais saírem dos fundos da escola. Eles estavam trazendo alunos da nona série, Steve Collins e seus amigos, Seth Miller e Matt Brigs, cada garoto levado por dois policiais. Ela abriu caminho para passar pela multidão de alunos até se aproximar o suficiente para ver os rostos daqueles meninos. Dois deles, Steve e Matt, estavam chorando. Seth olhava fixamente para a frente, mas parecia abalado. De repente, nenhum deles parecia muito durão, eles pareciam pequenos e assustados. Enquanto Laura e os outros alunos olhavam, eles foram colocados no banco de trás de uma viatura de polícia. A última imagem que Laura teve deles foi dos três garotos de cabeça baixa. E, depois, o carro saiu em alta velocidade.

— Que idiotas — disse um menino que estava perto de Laura.

Laura ficou parada, muda, até finalmente ver Adam em meio à multidão. Era difícil não achá-lo, ele estava usando uma camiseta com estampa *tie dye*, com círculos em cores neon sobre um fundo amarelo fluorescente. Ele praticamente brilhava no pátio do colégio. Laura pegou o braço dele e o arrastou até um canto quieto para conversarem.

— Cara, parecia uma cena de filme — disse Adam. — A polícia até os algemou.

Laura concordou com a cabeça.

— Ei — ela de repente ergueu o olhar. — Como eles foram pegos?

Adam encolheu os ombros.

— Alguém os viu e os denunciou.

— Quem? — Laura perguntou.

— Fui eu.

Laura se virou e viu Nix caminhando na direção deles. Seu rosto estava pálido, como se ela não dormisse havia dias. Ela andava devagar, hesitante. Quando parou em frente a Laura e Adam, ela olhou ao redor para verificar se alguém a escutava. Depois, respirou fundo e começou a falar:

— Eu não podia ficar calada. Aquilo estava me matando, estava me consumindo. Então, decidi que tinha de fazer alguma coisa... Mesmo antes de receber o seu e-mail — ela acrescentou, olhando para Laura. — Contei tudo aos meus pais e, juntos, decidimos vir e conversar com o diretor. O senhor Garrett chamou a polícia e vieram prender os meninos.

Laura demorou mais um segundo para absorver toda a história e, depois, ela se atirou sobre Nix, abraçando-a com toda a sua força.

— Ei, para com isso. Você vai me sufocar.

Nix se contorceu para se livrar do aperto de Laura. No entanto, quando Laura se afastou, ela podia ver que Nix parecia aliviada e grata pela demonstração carinhosa de apoio.

— Você está chorando?

E, sim, lágrimas escorriam pelas bochechas de Laura e ela nem tentava secá-las.

— Estou tão feliz — Laura soluçou. — Eu sabia que você iria conseguir, Nix.

Sua amiga não a havia decepcionado. No final das contas, tudo o que Laura sabia sobre Nix e quem ela acreditava que sua amiga fosse eram verdade. Ela havia feito o que era certo.

— O que você está vestindo? — Nix virou-se para Adam, que estava observando a conversa das duas.

Adam sorriu constrangido e puxou sua camiseta de cores berrantes.

— Eu não entendo — ele disse, virando-se para Laura. — Você sabia alguma coisa sobre essa história?

Laura deu risada em meio às lágrimas.

— Eu explicarei mais tarde, Ad, prometo.

Ela virou-se novamente para Nix, que havia ficado mais quieta e séria.

— Dizem que sou uma heroína por ter feito a denúncia — Nix disse —, mas não me sinto assim. Quero dizer, estou feliz por ter feito o que eu fiz, mas ainda estou um pouco assustada. Terei de ir ao tribunal e, talvez, prestar depoimento sobre o que eu vi.

— Não se preocupe — disse Laura, fungando. — Estaremos ao seu lado... sempre.

Nix olhou seus dois amigos desconfiada.

— Ótimo — ela disse. — Tenho um *hippie* paz e amor e uma bebê chorona para me proteger. Fico me perguntando por que não me sinto segura.

Adam sorriu e passou o braço pelo ombro de Nix.

— "*Ou você se cansa lutando pela paz, ou morre*". É uma frase de...

— Eu sei — Nix interrompeu. — John Lennon.

— A união faz a força — Laura engoliu em seco ao sorrir para sua melhor amiga.

Capítulo doze

Laura olhava a tela branca do seu computador, perguntando-se pela centésima vez como iria preenchê-la com palavras. As aulas de hebraico para o seu *bat mitzvah* já haviam terminado. Ela havia aprendido todas as orações que precisaria recitar durante a cerimônia especial. O planejamento das mesas para a festa da noite estava pronto, as roupas estavam compradas e todos os detalhes estavam resolvidos. O *bat mitzvah* de Laura estava chegando, faltavam apenas alguns dias. Faltava apenas escrever seu discurso e essa tarefa estava se mostrando assustadora.

Com a cabeça apoiada nas mãos e os olhos fechados, Laura se perguntava como iria honrar a vida de Sara de um jeito significativo. Os eventos do dia anterior passavam pela sua mente como *flashes*. Os três meninos que vandalizaram o cemitério aparentemente estavam envolvidos em atos de vandalismo parecidos por toda a cidade. A notícia se espalhou pela escola horas depois da prisão deles. Um dos professores de Laura sugeriu que, talvez, os meninos não quisessem ofender os judeus com seu comportamento. Foi apenas uma travessura que foi longe demais. Laura não sabia se acreditava naquilo, mas talvez ela nunca descubra por que eles cometeram aquele crime. O importante era que eles foram impedidos de continuar. O pai de Laura disse que poderiam ser acusados por ofensa criminosa e depredação de propriedade pública e poderiam ficar presos por até um ano. O mais provável era que eles ficassem em liberdade condicional e tivessem de realizar algum trabalho comunitário. "Talvez eles tenham de limpar os cemitérios judeus", Laura pensou, irônica. "Isso sim seria justiça!".

Diziam que Nix iria ganhar algum tipo de prêmio de boa cidadania por ter denunciado o que viu. A reação dos alunos e professores em relação a

Nix foi muito diferente do que ela imaginava. Alunos com quem ela nunca havia conversado aproximavam-se dela com palavras de parabenização e admiração. Os professores a paravam para dizer o quanto estavam orgulhosos por ela ter tomado aquela iniciativa. Alguém do jornal local até apareceu para entrevistar Nix, embora o senhor Garrett tenha surgido ninguém sabe de onde e colocado os repórteres para fora da escola. Houve um incidente, alguns alunos altos da nona série bloquearam o caminho de Nix até o refeitório. Iam dizer alguma coisa quando Adam se colocou na frente de Nix e ficou cara a cara com os garotos mais velhos. Eles se encararam, ninguém movia um músculo, até que os garotos maiores se viraram e saíram andando.

— Talvez a camiseta os tenha assustado — Adam disse.

Sua voz estava um pouco trêmula apesar de ele parecer seguro. Laura nunca teve tanto orgulho de ter Nix e Adam como seus melhores amigos. Se ela ao menos conseguisse escrever seu discurso...

— Laura, leia para mim!

Emma irrompeu pelo quarto de Laura balançando um livro no ar, o seu favorito, *Onde vivem os monstros*. Todos os membros da família, inclusive Laura, provavelmente já haviam lido aquele livro para Emma pelo menos cinquenta vezes, se não mais. A própria Emma podia recitá-lo de cor.

— É porque eu sou selvagem como os monstros — ela costumava dizer, orgulhosa.

Normalmente, Laura brigaria com sua irmã por ter entrado no seu território particular sem bater na porta. Teria gritado com Emma e, depois, chamado sua mãe para ajudá-la. Mas não daquela vez.

— Emma, estou muito ocupada agora — disse Laura calmamente enquanto sua irmã empurrava o livro em frente ao seu rosto. — Mas prometo que lerei para você quando você se deitar. Você me chama quando estiver pronta?

Emma parou, impressionada e confusa pela resposta gentil da sua irmã. Ela olhou o diário na escrivaninha de Laura e, depois, olhou para cima.

— O que é isso? — ela perguntou.

Laura parou e, depois, respondeu.

— É uma história. Foi escrita por uma menina da minha idade. Estou lendo para o meu *bat mitzvah*.

Emma concordou com a cabeça.

— É uma história triste?

Laura se perguntou como Emma sabia. Ela concordou com a cabeça.

— Um pouco.

Emma ficou pensativa.

— Eu não gosto de histórias tristes.

— Nem eu — Laura deu uma risada suave, abraçou Emma e a levou para fora do quarto.

Depois, ela voltou para sua escrivaninha e novamente encarou a tela branca do computador. Eram o diário — as histórias de Sara — e o incidente no cemitério que haviam mudado o ponto de vista de Laura sobre muitos assuntos: família, amizade, tolerância. O importante era escrever um discurso que servisse como tributo à vida de Sara e mostrasse o que Laura havia aprendido com ela e com os outros eventos. Por que ela não conseguia simplesmente escrever algumas palavras e acabar logo com aquilo?

Porém, Laura sabia, no fundo do coração, que outra coisa a estava impedindo de escrever o discurso, algo que ela estava encontrando dificuldade para encarar: a última parte do diário. Ainda faltava uma parte a ser lida e Laura temia o final da história. Lá no fundo, ela acreditava que Sara não sobrevivera à guerra e essa ideia era quase impossível de aguentar. Ela estava evitando o diário havia dias, era como evitar a verdade. Ao voltar da escola para casa naquele dia, ela havia tentado pegá-lo, pensando que os eventos do dia anterior haviam lhe dado a força de que precisava para ler o final. Laura havia lido as primeiras duas anotações, ambas curtas.

15 de setembro de 1942

Sinto saudades de Deena. Nada mais a declarar.

Sara Gittler

26 de dezembro de 1942

Outro inverno no gueto. Mamãe conseguiu encontrar um velho casaco para mim. Ele é tão grande e longo que toca o chão quando eu ando. Mas pelo menos é quente.

Sara Gittler

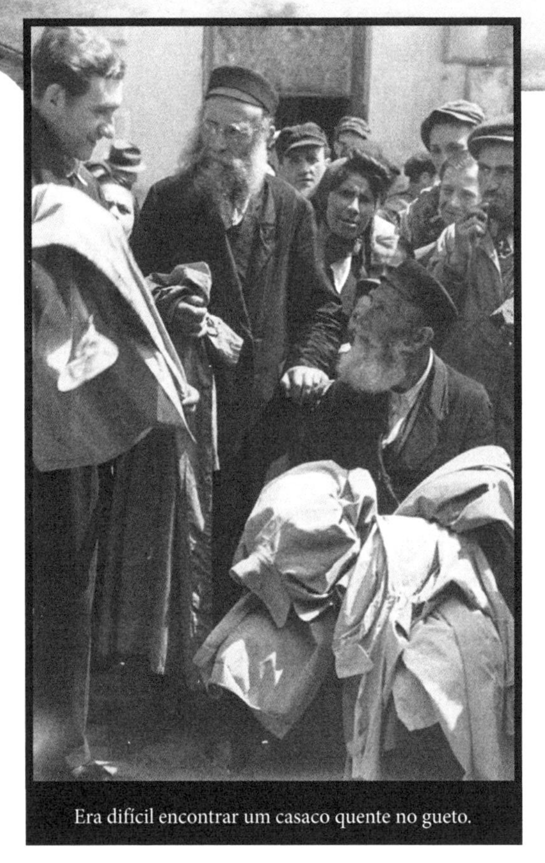

Era difícil encontrar um casaco quente no gueto.

No entanto, depois disso, ela parou de ler. E, ainda assim, ela sabia que não havia como escrever o discurso sem terminar de ler o diário. Era o que ela precisava finalizar e era chegada a hora de ler. Laura pegou o diário e foi para a cama, olhando novamente a letra feita à mão e os desenhos nas margens. Relutante, ela folheou até as últimas páginas e, com um suspiro profundo, começou a ler.

5 de janeiro de 1943

E agora acontecerá com a gente. Ontem, meu tateh chegou parecendo mais preocupado do que já o vi ficar. Mamãe agarrou o braço dele como se soubesse o que estava acontecendo sem ele ter de dizer nada.

— O que está acontecendo, tateh? — eu perguntei.

No início, ele não queria responder. Ele nem olhava para mim e a sua reação, o medo e a incerteza em seus olhos, foram suficientes para fazer meu corpo se arrepiar.

— Seremos deportados, é isso que está acontecendo! — David estava parado em um canto, carrancudo, e soltou essas palavras de raiva em voz alta, quebrando o silêncio aterrorizante.

Mesmo assim, tateh não disse nada, mas bubbeh começou a choramingar e soluçar tão alto que, por um momento, quase esqueci o que David disse. Virei-me e coloquei o braço em torno dos ombros de bubbeh, tentando, sem sucesso, consolá-la. Porém, um momento depois, olhei novamente para o meu pai.

— É verdade, tateh? Seremos deportados? — quase engasguei com aquela palavra e um gosto tão ruim subiu pela minha garganta que eu pensei que iria vomitar.

Precisei virar o rosto para recuperar o fôlego. Tudo o que tateh pôde fazer foi confirmar com um aceno da cabeça. Nenhuma palavra saiu da sua boca.

— Eu sabia — David disse com raiva, — Sabia que seria apenas questão de tempo até que acontecesse conosco. Vocês acham que estamos seguros aqui só porque estamos atrás desses muros? Bem, não estamos seguros. Aconteceu com nossos amigos e vizinhos e agora é a nossa vez!

— Pare, David — mamãe implorou. — Você está assustando a Sara.

Minhas bochechas ferviam como se uma febre violenta e repentina tivesse se espalhado pelo meu corpo. Ouvi um gemido baixinho atrás de mim, virei-me e vi Hinda agachada em um canto. Ela balançava o corpo para frente e para trás e cobria a cabeça com um pequeno cobertor, como se pudesse, de alguma forma, esconder-se do que estava acontecendo. Mamãe aproximou-se de mim e tentou me abraçar, mas eu a afastei.

— Você acha que eu não sei o que a deportação significa? — eu gritei. — Não sou um bebê, mamãe. Vi Deena e as crianças do orfanato irem embora. Eu sei para onde iremos e sei o que tudo isso significa. Eu já havia escutado David falar sobre campos de concentração mais ao leste. Ouvi de pessoas nas ruas rumores sobre torturas e mortes em massa de judeus nesses lugares. Ninguém pode se esconder da verdade.

— Não sabemos o que acontecerá conosco quando sairmos daqui — tateh finalmente disse com a voz alta e firme. — O destino de outros não é necessariamente o nosso destino. Não sabemos tudo o que poderíamos saber, David.

Judeus esperavam na estação de trem para serem levados a campos de concentração.

David soltou uma risada amarga.

— Você pode se enganar se quiser — ele disse —, mas eu não sou tão ingênuo.

Com isso, ele se virou e saiu do apartamento. Durante alguns instantes, ninguém falou nada.

— Quando? — eu acabei perguntando.

— Em alguns dias — tateh respondeu. — Nós temos algum tempo, não será como quando reuniram aquelas pessoas sem avisar.

Eu sabia que ele estava falando de Deena e dos outros e me encolhi de medo.

— Podemos nos preparar — tateh continuou. — Disseram para fazermos uma mala pequena para cada um. Mais decisões difíceis, Saraleh, sobre o que levar e o que deixar para trás — ele abriu um sorriso rápido. — O importante é que iremos juntos. Ainda somos uma família e ninguém irá nos separar.

Tateh se virou e desapareceu pela porta do seu quarto com mamãe. Hinda levantou-se e correu atrás deles. Bubbeh ainda estava choramingando baixinho e eu a segurei pelos ombros e a guiei até o seu pequeno quarto. Depois, voltei para a cozinha. Lá, sozinha, afundei na cama vazia de David e agarrei o seu travesseiro, apertando-o contra o rosto para não chorar muito alto. Um pensamento não saía da minha cabeça: eu não quero morrer! Sou muito jovem. Em outros lugares, meninas da minha idade estão sonhando com bailes, roupas bonitas e férias, não com a possibilidade de serem mortas. Como isso pode estar acontecendo? E por que conosco? O que mamãe, tateh ou Hinda fez para passar por essa situação? O que eu fiz de tão errado? Nunca feri ninguém, nunca odiei ninguém por conta da religião ou da cor dos cabelos ou dos olhos. Então, por que tantas pessoas nos odeiam? Odeiam a mim? E por que nos querem mortos?

Era fácil acusar os soldados nazistas que ficam de guarda nos portões do gueto. Era fácil dizer que eles são responsáveis por esta prisão. Eles, sob o comando daquele homem cruel, Adolf Hitler, estavam tentando nos punir pelo crime de sermos judeus. Mas onde estava o resto do mundo? Há milhões de pessoas lá fora em países de todo o planeta, testemunhas do que está acontecendo aqui. Por que ninguém vinha nos resgatar? Isso era ainda mais difícil de entender. O mundo inteiro nos odiava também?

Minha cabeça latejava com tantas perguntas sem resposta. E, por fim, deitei a cabeça no travesseiro de David, exausta e fraca. Eu precisava escapar de tudo aquilo e, naquele momento, minha única fuga era o sono.

Sara Gittler

7 de janeiro de 1943

Quando David anunciou que não iria conosco no transporte, eu não me surpreendi. Eu o havia observado, carrancudo e pensativo, desde o momento em que tateh disse que iremos embora. Ele andava sem descanso pelo apartamento e, de repente, saía para a rua. Ele ficava fora por horas, mais do que o normal, e, quando voltava para casa, parecia prestes a explodir.

Na verdade, quando ele finalmente revelou que ficaria no gueto e desafiaria a ordem de deportação, ninguém pareceu surpreso, nem mesmo meus pais.

— O que você vai fazer, David? — tateh perguntou.

No último dia, tateh parecia quase murcho. Seu corpo alto estava curvado, seus olhos estavam afundados e sua pele estava tão pálida que parecia que o sangue havia saído do seu corpo.

— Vou ficar e lutar — David disse. — Há grupos por todo o gueto. Não vamos ceder a eles, temos armas e munição.

Tateh concordou com a cabeça.

— Entendo — ele disse com suavidade. — E vocês acham que algumas armas podem resistir ao exército nazista?

— Conhecemos estas ruas e estes prédios melhor do que qualquer nazista. É a nossa vantagem. E temos também o elemento surpresa, eles não esperam que o gueto resista.

Tateh concordou com a cabeça novamente e abriu a boca como se fosse falar. Depois, parou. Acho que, naquele momento, ele perdeu a vontade de discutir com David. Foi quando mamãe interferiu.

— Onde você irá morar? O que você irá comer? — ela perguntou.

David encolheu os ombros.

— Não se preocupe com isso, mamãe — ele disse. — Preocupem-se com vocês, eu ficarei bem.

Com isso, ele saiu do apartamento. Dessa vez, eu o segui. Eu sabia o que David estava fazendo ao resistir à deportação e eu entendia o porquê, mas precisava falar com ele. Eu o alcancei na escada do prédio e, quando ele viu a minha expressão, ele me pegou pelo braço e me levou para o pátio. Lá, sob a sombra do prédio, sentamo-nos no chão, um olhando o outro. No início, nenhum de nós falou nada, mas David não estava irritado como ficava com todas as pessoas. Dessa vez, o silêncio foi preenchido por uma luta para entender o que iria acontecer a todos nós. Por fim, David quebrou o silêncio.

— Não vou caminhar para a minha morte — ele disse. — Mesmo que isso signifique que eu tenho que abandonar a minha família.

Eu concordei com a cabeça e esperei até que David falasse novamente.

— Cada dia tem mais pessoas na resistência, Sara. Estão determinadas a revidar. Mordechai Anielewicz, o líder, tem apenas vinte e três anos, somente alguns anos a mais que eu. Ele tem organizado atividades clandestinas aqui no gueto há alguns meses, unindo grupos diferentes no que ele chama de Organização da Luta Judaica. É o nosso nome, e Mordechai não é o único. Há outros: Aharon Bruskin, Mira Fuchrer, David Hochberg, Leah Perlstein.

Foi a primeira vez que David falou os nomes dos líderes do grupo de resistência e eu ouvi admirada enquanto ele falava abertamente sobre suas atividades. Eu continuei levando mensagens para o David por meses, confiando nele, fazendo poucas perguntas, entregando cartas e pequenos pacotes e simplesmente acreditando que eu estava fazendo um bem. Mas, naquele momento, David estava juntando todas as peças.

— Eu sei que temos os meios de lutar, e com força — David continuou. — Nós daremos uma lição aos nazistas, mostraremos que os judeus podem se defender. Mostraremos a eles que somos fortes e, mesmo se morrermos nesta batalha, prefiro morrer aqui.

Os olhos de David estavam brilhando e ele falava com mais animação e certeza do que eu o havia escutado falar em muito tempo. Eu não podia discutir com ele, não podia implorar que fosse conosco no transporte quando, no fundo do meu coração, eu tinha inveja da paixão dele. Não pude deixar de pensar na possibilidade de que os transportes nos levariam para a nossa morte. E, embora David enfrentasse o perigo de ser morto no gueto, talvez ficar e lutar fosse a melhor alternativa. Pelo menos, lutar nos faz sentir que estamos fazendo alguma coisa... defendendo-nos.

Que decisão impossível de tomar, eu pensei. Ir com a família

Jovens faziam parte da resistência judaica.

Mordechai Anielewicz (na extrema direita) era o líder da Organização da Luta Judaica.

e enfrentar a morte ou ficar, lutar e enfrentar a morte. Não há escolha, na verdade.

Porém, no final das contas eu sabia que, mesmo se eu quisesse ficar com David, mamãe e tateh nunca concordariam. E, para ser honesta, eu nunca conseguiria abandonar meus pais. David podia ficar, mas eu precisava ajudar Hinda e bubbeh. Era onde eu tinha de estar, onde eu era mais necessária, não importa o que aconteça.

Por fim, abracei David, o nosso primeiro e único abraço de que posso me lembrar. E sussurrei em seu ouvido:

— Lute por mim também.

Sara Gittler

8 de janeiro de 1943

O que farei com este diário? Passamos os últimos dias separando nossos pertences e decidindo o que levar na viagem. Quero dizer, mamãe e eu estamos separando as coisas. Bubbeh ainda fica sentada, chorando, e papai passa o tempo brincando com Hinda, tentando distraí-la enquanto mamãe deixa de lado seus brinquedos favoritos para dar lugar a itens mais essenciais. Devo lembrar que há pouquíssimas coisas aqui e as decisões não são assim tão difíceis. Levar o casaco, deixar a cadeira. Levar o lençol, deixar o pote. Praticamente se resume a roupas e comida em vez de móveis e acessórios. Essas decisões são fáceis, mas as mais difíceis envolvem objetos pessoais, como fotografias e meu diário.

O problema é o seguinte: se eu levar meu diário comigo, como irei mantê-lo em segurança se não tenho nem certeza se eu estarei segura? Porém, se eu o deixar para trás, onde o colocarei? Levar ou deixar, esse é o problema que estou enfrentando.

Sara Gittler

9 de janeiro de 1943

Decidi o que fazer. Vou deixar meu diário. Irei enterrá-lo no pátio do prédio junto com os desenhos que Deena me deu. De alguma forma, parece ser a decisão certa, a mais segura.

O que estou dizendo? Estou admitindo que acho que não sairei desta guerra viva e não quero que meu diário seja destruído comigo? Talvez seja em parte isso, embora seja difícil escrever essas palavras. Olho a página e já quero apagar a última linha, como se, riscando-a, eu pudesse apagar a possibilidade de ela ser real.

No entanto, é estranho, mas eu não estou com medo. Sou jovem e forte. Tenho a sorte de ter meus pais, minha irmã e minha avó comigo. Enfrentei muitas situações desde que cheguei ao gueto e preciso ficar forte para enfrentar o que quer que aconteça.

Porém, enquanto isso, deixarei o diário aqui. Acredito que, um dia, alguém aparecerá para desenterrá-lo. E espero que esse alguém seja eu.

Sara Gittler

Capítulo treze

O rabino Gardiner estava falando, gesticulando para que Laura se aproximasse dele no altar da sinagoga. Laura soltou o ar devagar, pegou o diário de Sara, juntou suas anotações e subiu os degraus para ficar ao lado do rabino. Ela sentiu um frio na barriga e demorou um instante para acalmar seu coração, que batia acelerado. Mas, quando se virou para olhar a plateia reunida para a cerimônia do seu *bat mitzvah*, tudo o que viu foi um mar de sorrisos e rostos carinhosos. Imediatamente, ficou à vontade.

Na fila da frente, a mãe de Laura enxugou o canto dos olhos com um lenço. Laura nem havia começado a falar e sua mãe já estava chorando! Não era surpresa. Seu pai parecia quase pronto para explodir de orgulho. Ele sorria e piscava, mandando um sorriso nervoso na direção de Laura.

Seu pai havia acordado ao nascer do sol e ficou andando desajeitadamente pela casa, correndo de um aposento para o outro e sem fazer nada, a não ser deixar todos nervosos. Foi Laura quem, por fim, disse a ele para parar de vagar pela casa e tomar o café da manhã, pois tudo ficaria bem. Quando ela havia se tornado tão segura e confiante? Emma sorriu e passou a mão pelo lindo vestido florido escolhido por ela para aquele dia. Se perguntassem a Emma, ela diria que era o dia *dela* de celebrar, não de Laura. Era típico de Emma, ela sempre achava que era o centro das atenções. Mas, naquele dia, Laura não se importava.

Laura observou as pessoas por mais um minuto: tias, tios, primos, amigos da escola e amigos da família. Ela estava procurando Adam e Nix e lá estavam eles, sentados perto da primeira fila, sorrindo de orelha a orelha. Adam vestia um terno azul, provavelmente o único que tinha. Ele estava

muito bonito, Laura tinha de admitir, não estava com aquele visual meio pateta que costumava exibir, apesar da gravata de John Lennon (sua marca registrada), que Laura sabia que ele estava usando por causa dela. Ela teria de dançar algumas vezes com Adam na festa daquela noite, ele iria amar as músicas escolhidas por ela. Discreta, Nix fez um sinal de encorajamento e Laura abriu um grande sorriso de volta para ela. Era o seu momento e ela queria aproveitá-lo por inteiro.

Um movimento repentino na lateral do *hall* distraiu Laura por um instante. Quando ela virou o olhar, viu a senhora Mandelcorn andando pela nave da sinagoga, murmurando desculpas para as pessoas enquanto tentava achar um lugar para sentar. Uma mulher um pouco mais jovem a acompanhava. "Deve ser a sua irmã", Laura pensou, observando a semelhança entre os rostos das duas. Atrasada, como sempre, mas, daquela vez, Laura não se importou. As duas se acomodaram e olharam para Laura. Ela estava feliz por ver a senhora Mandelcorn lá.

Laura estava pronta. Começou a cantar com clareza e segurança as orações em hebraico que praticara durante meses. Sua voz estava forte e soava em uma melodia suave e muito agradável. Usando o apontador de prata entregue pelo rabino, ela tocou a Torá, o rolo com os escritos hebreus que estava aberto na seção lida naquele dia. De repente, ela se emocionou com a importância do que estava fazendo, a cerimônia tradicional de afirmação da idade adulta. Ao seu lado, o rabino apertou o braço dela, reconhecendo o quanto ela se esforçou. A cerimônia passou rapidamente de oração para oração e, por fim, chegou o momento do discurso de Laura.

Abrindo seu caderno, ela mais uma vez olhou para os rostos sorridentes. Ela nem lembrava que horas havia terminado de ler as histórias de Sara algumas noites antes. Embora ainda houvesse perguntas sem res-

posta, Laura havia finalmente conseguido pensar no que dizer no discurso. E, quando começou a escrever, as palavras fluíram com facilidade e ela logo terminou.

— Vou contar a vocês a história de uma menina que viveu durante a Segunda Guerra Mundial e o Holocausto — Laura começou. — Seu nome era Sara Gittler.

Com essa introdução, Laura começou a falar sobre a vida de Sara. Ela descreveu a família de Sara, seus irmãos, pais e avós. Falou sobre o que Sara fazia antes da guerra e, depois, descreveu como o Gueto de Varsóvia havia sido construído, prendendo Sara e milhares de outros judeus atrás dos muros da prisão.

— Quando Sara foi para o gueto, ela teve de deixar para trás a maioria das coisas que tinha, tudo que era importante para ela: seus livros, brinquedos, o bichinho de estimação e muitos amigos. Ela deixou para trás a sua liberdade e entrou em uma prisão, onde ela e sua família tinham de morar em um pequeno apartamento com um dormitório só. Ela passava dificuldades todos os dias, tinha pouco para comer e quase nada para fazer.

Laura abriu o diário que a senhora Mandelcorn havia lhe dado e leu uma passagem para a plateia, repetindo as palavras de Sara em voz alta e dando a ela voz durante a cerimônia.

Eu sonho em andar por uma rua movimentada e parar em um café para tomar sorvete e comer bolo. Sonho em ir a uma escola de verdade e sentar-me em uma das primeiras carteiras, de onde posso ouvir tudo o que o professor diz. Sonho em comprar um vestido novo, ou talvez dez vestidos. Acima de tudo, sonho em ser uma escritora famosa e todos lerem minhas histórias e lembrarem-se de meu nome.

— Esses eram os sonhos de Sara — Laura disse, levantando os olhos para olhar as pessoas. — Mas eu não acho que ela teve a oportunidade de torná-los realidade. Ela e sua família foram deportadas para o campo de concentração de Treblinka. Ela deixou seu diário enterrado no pátio do prédio onde morava.

"Quando Sara escreveu essas palavras, ela tinha treze anos e meio, era apenas um pouco mais velha do que eu — Laura continuou. — Ela tinha cabelos escuros, olhos castanhos e sardas pelo nariz, como eu. Nós duas amamos livros e nos importamos com nossos amigos. Sara tinha uma irmã mais nova como eu. Ela chegou a frequentar a escola, praticar esportes e ouvir música. Ela até saía para comprar roupas e se preocupava em ser popular. Somos a mesma pessoa de várias maneiras, mas, quando Sara pensava em seu futuro, provavelmente não se preocupava com o lugar onde passaria as próximas férias ou para qual universidade iria. Sara imaginava se estaria ou não viva e, quando queria que o mundo reparasse nela, não era porque ela estava presa, mas porque ela se sentia abandonada, assim como milhões de outros judeus na época."

Laura parou e olhou ao redor. A plateia estava em silêncio, a mãe de Laura enxugou os olhos novamente e pegou a mão do marido. Até Emma, geralmente inquieta, estava parada, ouvindo com atenção. Laura prometeu para si mesma que iria falar mais sobre Sara para Emma, explicar tudo o que pudesse para sua irmãzinha.

Procurando os rostos conhecidos, o olhar de Laura parou na senhora Mandelcorn. Ela ficou surpresa de ver aquela senhora de cabeça baixa e claramente soluçando, segurando um lenço branco no rosto. O braço de sua irmã estava sobre os seus ombros. As duas estavam sentadas bem próximas, as cabeças encostadas. Laura ficou distraída e perturbada por alguns instantes. Ela se perguntava se havia ofendido a senhora Mandelcorn

de alguma forma, mas havia sido ela, a senhora Mandelcorn, quem lhe havia dado o diário de Sara para começo de conversa. Talvez Laura devesse ter consultado aquela senhora sobre o discurso que estava planejando apresentar, ela nunca quis chateá-la. Porém, no instante seguinte, a senhora Mandelcorn levantou o olhar e fez um pequeno movimento com a cabeça. Laura percebeu que estava fazendo o que era certo e a senhora Mandelcorn a encorajava a continuar.

— Quero contar a vocês algo que aconteceu na minha escola há algumas semanas.

Foi então que Laura começou a falar sobre o incidente no cemitério e como ele a havia afetado ao mesmo tempo em que ela lia as histórias de Sara.

— É fácil não fazer nada quando vemos casos de provocação ou vandalismo. Viramos o rosto e fingimos que não tem nada a ver conosco. Podemos até, por medo, não dizer nada quando nossa comunidade e nossos amigos são ameaçados. Durante a Segunda Guerra Mundial, não havia no mundo um número suficiente de pessoas dispostas a defender Sara e tantos outros, mas, ao ler o diário dela, nós entendemos que temos a responsabilidade de tomarmos uma atitude, mesmo que isso seja assustador.

Com isso, Laura ergueu o olhar novamente e encontrou os olhos de Nix. Nix fez um sinal de positivo com a mão e balançou a cabeça, encorajando-a. Laura continuou:

— Aprendi muito com esse incidente na nossa comunidade e com as histórias de Sara. Aprendi a valorizar minha vida e minha liberdade. Aprendi que defender o que é certo é a atitude mais importante que podemos tomar. Aprendi a importância das verdadeiras amizades.

"Todos nós conhecemos as horríveis estatísticas: um milhão e meio de crianças judias não sobreviveu ao Holocausto. Um milhão e meio de vidas únicas, cada uma importante, como a de Sara.

"Nas últimas semanas, pensei muito em como homenagear Sara com o meu *bat mitzvah* e aproveito esta oportunidade para unir o passado e o presente. O dia do meu *bat mitzvah* será, para sempre o dia do *bat mitzvah* de Sara. Sara pediu que nos lembrássemos dela e, dizendo seu nome hoje, nesta sinagoga, é exatamente isso que eu faço."

Capítulo catorze

Assim que a cerimônia acabou, Laura foi imediatamente cercada pelos membros da sinagoga. Amigos e desconhecidos a abraçaram, beijaram, apertaram suas bochechas e desejaram *mazal tov*, a expressão de parabéns hebraica. Ela recebeu cumprimentos de todos os lados e adorou cada minuto.

Sua mãe foi a primeira a abraçá-la, ainda chorando baixinho, e sussurrou em seu ouvido que estava orgulhosa dela. O pai de Laura veio em seguida:

— Você esteve ótima, filha — ele disse, com a voz falha. — Muito melhor do que eu, quando tinha a sua idade.

Laura deu risada antes de se virar para abraçar Emma.

— Essa era a história triste? — Emma perguntou, afastando-se para olhar Laura nos olhos.

— Parte dela.

Emma concordou com a cabeça e abraçou Laura novamente.

— Mas agora é hora da sua festa — Laura disse. — Você foi ótima hoje.

Emma sorriu e saiu dançando e girando para mostrar seu vestido.

Laura procurou pela multidão. Onde estavam Adam e Nix? Ela estava desesperada para encontrar seus amigos quando alguém a girou e lhe deu um abraço muito apertado. Era Adam.

— Você foi fantástica! — ele disse.

— Obrigada — ela o abraçou de volta com carinho.

— Eu disse que tudo isso valeria a pena — ele acrescentou. — E, agora, vamos para a festa!

Laura deu risada e foi abraçar Nix.

— Eu nunca conseguiria fazer o que você fez — Nix afirmou, admirada. — Você estava ótima!

Laura não disse nada, ela não precisava. Os três ficaram em silêncio, aquele silêncio confortável, de entendimento, que somente bons amigos sabem compartilhar.

Naquele momento, Laura avistou a senhora Mandelcorn esperando de lado respeitosamente, observando os cumprimentos com alguma hesitação.

— Vocês vão na frente pegar alguma coisa para comer — Laura disse. — Preciso falar com alguém. Guardem um lugar para mim perto de vocês — ela acrescentou, por cima do ombro enquanto se dirigia para perto da senhora Mandelcorn.

Laura estendeu a mão para cumprimentá-la:

— Muito obrigada por ter vindo — Laura disse.

A senhora Mandelcorn ignorou a mão e abraçou Laura com carinho. Depois, limpou as lágrimas que ainda estavam em seus olhos.

— Eu devo agradecer a você — ela afirmou, com a voz trêmula. — Eu não esperava me emocionar tanto durante o seu discurso, querida.

— Eu não queria dizer nada para deixá-la chateada — Laura acrescentou depressa.

— Não, não. Não estou chateada, apenas emocionada... muito emocionada — disse a senhora Mandelcorn.

Laura concordou com a cabeça. Ela estava prestes a convidar a senhora Mandelcorn para ir se juntar aos amigos e à família dela para o almoço de comemoração quando a irmã da senhora Mandelcorn apareceu:

— Você vem, Sara?

A senhora Mandelcorn concordou com a cabeça.

— Sim, Hinda, irei em um instante. Você pode pegar o carro e esperar por mim, por favor?

A irmã concordou e saiu.

Sara? Hinda? Laura congelou. Ela ficou boquiaberta e sentiu a cabeça girar. Ela estendeu a mão e segurou o braço da senhora Mandelcorn quando começou a entender o que havia acontecido.

— É você, não é? Você é a Sara. É o seu diário... suas histórias.

Era como ver um fantasma voltar à vida. Sara não estava morta. Ela estava viva e bem na sua frente. Como Laura pôde ser tão ingênua e não ter visto a verdade até aquele instante? Todas as pistas estavam lá: a idade da senhora Mandelcorn, sua relutância em falar do passado, o fato de que morava com a irmã mais nova. Por que Laura não havia prestado atenção em nada daquilo? Ela estava tão envolvida em sua própria vida e seus problemas que deixou de ver o óbvio?

A senhora Mandelcorn estava sorrindo e concordando com a cabeça. Lágrimas brilhavam de novo em seus olhos e ela mais uma vez os enxugou com seu lenço de renda.

— Por que a senhora não me contou? — Laura perguntou. Ela não podia acreditar que Sara e a senhora Mandelcorn fossem a mesma pessoa.

A senhora Mandelcorn balançou a cabeça.

— Eu queria que as histórias falassem por si mesmas.

— Mas eu poderia ter feito mais, poderia tê-la apresentado na sinagoga pelo menos.

— Ó, não! — a senhora Mandelcorn falou alto. — Já foi difícil o suficiente conversar sobre isso com você. Seria impossível, para mim, contar minha história para tantas pessoas.

Laura balançou a cabeça, tentando se recompor.

— A senhora pode me contar o que aconteceu? — ela pediu. — Tenho tantas perguntas.

A senhora Mandelcorn ficou pensativa antes de responder:

— Hoje é dia de celebrar, não de ficar triste, querida — ela disse.

Naquele momento, a mãe de Laura apareceu. Ela parou e sorriu como se pedisse desculpas quando viu a senhora Mandelcorn.

— Laura, estamos começando o almoço. Todos estão esperando no *hall* social.

— Mãe, esta é a senhora Mandelcorn. Foi ela que me emprestou o diário.

Laura ainda estava zonza com a descoberta da verdadeira identidade daquela senhora. Nem conseguia começar a explicar a história toda para a sua mãe.

— É um prazer conhecê-la. O diário teve um impacto enorme na minha filha — a mãe de Laura afirmou. — Espero que almoce conosco.

A senhora Mandelcorn balançou a cabeça.

— Obrigada pelo convite, mas eu acho que preciso ir. Sua filha estava maravilhosa — ela acrescentou.

A mãe de Laura estava prestes a dizer outra coisa, mas parou e voltou-se para Laura.

— Querida, você realmente tem de vir agora.

— Comece você, mãe — Laura respondeu. — Irei em alguns minutos, eu prometo — ela acrescentou quando sua mãe acenou com a cabeça e saiu.

Laura voltou-se para a senhora Mandelcorn.

— Eu preciso saber — ela continuou. — A senhora precisa me contar o que aconteceu com a Sara... com você.

A senhora Mandelcorn concordou lentamente com a cabeça e começou a falar, escolhendo as palavras com cuidado e reunindo peças da sua vida a partir do momento final do diário.

— Deixamos o gueto na manhã seguinte ao dia em que enterrei meu diário, 10 de janeiro de 1943. Caminhamos em uma longa fila até a estação de trem da Umschlagplatz. Era uma visão muito triste, milhares de pessoas caminhando em direção à estação, um grupo infeliz e desarranjado. Eu segurava firme

minha bubbeh e mamãe e tateh seguravam Hinda entre eles. Caminhávamos o mais devagar que podíamos, talvez pensássemos que poderíamos diminuir a velocidade do tempo, evitar o óbvio enquanto fosse possível.

Enquanto a senhora Mandelcorn falava, o tempo parecia andar para trás para Laura. Ela fechou os olhos e imaginou os anos sumirem, até parecer que a jovem Sara estava na sua frente. Sua amiga Sara, sua gêmea, a quem estava ligada para sempre.

— Passaram-se horas até entrarmos nos trens — Sara continuou. — Nem começarei a descrever a viagem. Foi insuportável, condições que nenhum ser humano deveria enfrentar. Não tínhamos comida, nem banheiros, nem ar, mas era apenas o começo. Naquele momento, tateh havia parado de falar, de tentar nos convencer de que tudo ficaria bem. Até bubbeh não estava mais chorando. Acho que ela estava estarrecida e tão resignada com seu destino quanto todos nós.

"Chegamos a Treblinka na manhã seguinte e nos mandaram sair dos trens. Guardas horríveis gritavam conosco e balançavam rifles na nossa direção. Eles nos colocaram em fila e dividiram a fila rapidamente, colocando as pessoas para a esquerda ou para a direita aleatoriamente. Tateh e bubbeh foram colocados de um lado, longe de mamãe, Hinda e eu. Foi a última vez que os vimos. Tateh estava certo, sabe? Enquanto estivéssemos juntos, ficaríamos seguros, mas, naquele momento, minha família estava sendo dividida, um por um.

A senhora Mandelcorn parou e enxugou os olhos mais uma vez. Laura nem percebeu que havia pegado as mãos da senhora, apertando-as e prestando atenção em cada palavra, mal ousando respirar. Ouvir a senhora Mandelcorn era como ler as últimas páginas do diário de Sara, as que nunca foram escritas.

— Eu consegui ficar com mamãe e Hinda. Como os nazistas ignoraram uma menina da idade de Hinda, eu não sei. A maioria dos pequenos era

mandada direto para a morte. Hinda tinha apenas oito anos, mas ela era alta, quase tanto quanto eu. Talvez os guardas tenham pensado que era mais velha, talvez fosse o resto de sorte que tínhamos.

"Ficamos em Treblinka por pouco tempo, embora cada dia lá, cada hora, parecesse uma vida inteira. Mamãe faleceu uma semana depois de chegarmos. Somente depois entendi que ela já estava doente no gueto, com uma infecção no peito que nunca fora tratada. Mamãe nunca reclamou nem contou que estava sofrendo. Mamãe era assim, preocupava-se com o bem de todos, exceto o seu próprio. Ela morreu dormindo no barracão frio e úmido no qual éramos forçadas a morar. E ficamos somente Hinda e eu.

"Você consegue imaginar, Laura? Eu tinha apenas treze anos, era uma criança, e era responsável pela vida da minha irmã mais nova. Foi quando eu soube que tínhamos de sair de Treblinka. Alguns dias depois, os nazistas pediram voluntários para trabalhar em uma fábrica próxima. As pessoas ficavam com medo de se voluntariar para tarefas no campo de concentração, nunca sabíamos se estávamos nos voluntariando para morrer. No entanto, eu arrisquei e me ofereci com Hinda. Devíamos ter uma aparência forte porque, mais uma vez, fomos colocadas em um trem e, daquela vez, levadas para uma fábrica de munição onde trabalhávamos montando mísseis e outros explosivos para os nazistas. As nossas costas doíam muito com o trabalho e, por várias vezes, pensei que não sobreviveríamos. Porém, pelo menos estávamos em um lugar coberto e recebíamos comida uma vez por dia. Estávamos lá quando a guerra acabou e fomos libertadas pelo exército russo."

A voz da senhora Mandelcorn se transformou em um sussurro. O *hall* de entrada da sinagoga estava em silêncio, todos haviam saído do prédio ou ido para o local onde o almoço de comemoração seria servido. Sua família a esperava lá. Adam e Nix provavelmente estavam se perguntando por que ela não estava na festa, mas Laura ainda não conseguia se separar da senhora Mandelcorn. Ainda havia algumas perguntas sem resposta.

— O que a senhora fez? — Laura perguntou.

— Voltamos ao Gueto de Varsóvia assim que pudemos. Foi a única ideia que eu tive, o único lar que eu conhecia. Lá, encontramos uma tia que havia sobrevivido e fomos morar com ela. Hinda e eu estávamos doentes depois de tantos meses de fome nos campos de concentração, precisávamos de tempo para recuperarmos a nossa saúde. Também tivemos de pensar o que fazer com as nossas vidas. Naquela época, eu já sabia que meu tateh e minha bubbeh foram mortos no campo de concentração. Alguém nos disse que eles foram vistos andando em direção às câmaras de gás na primeira leva de pessoas do gueto. Eu estava desesperada por notícias de David, queria, de coração, acreditar que ele estava vivo, mas, lá no fundo, eu não tinha muita esperança. A maioria dos jovens combatentes judeus do levante do gueto acabou morta. Eles simplesmente não tinham chance contra os nazistas com suas armas, munições e tanques. Nunca soube o que realmente aconteceu com David, mas sempre acreditarei que ele morreu lutando, e morreu livre como disse que queria. Ele era o meu herói.

Laura se esforçou para segurar as lágrimas, mas ainda havia mais coisas que ela queria saber.

— Como você recuperou seu diário? — ela perguntou.

— Passaram-se muitos meses antes de eu me aventurar a entrar no gueto e tentar recuperar minhas memórias — a senhora Mandelcorn respondeu. — Era um sentimento estranho, andar por aquelas ruas depois do fim da guerra. Estava uma bagunça, prédios bombardeados, crateras profundas nas ruas e pilhas de escombros por toda a parte. Tudo o que eu esperava era encontrar meu diário. Estava apavorada de pensar que ele podia estar enterrado debaixo de alguma ruína e perdido para sempre. Imagine a minha surpresa quando achei o pátio do prédio onde morei e descobri que estava exatamente como o deixamos. Encontrei o lugar onde havia enterrado meu diário na minha primeira tentativa. Assim que comecei a cavar,

O gueto estava em ruínas no final da guerra.

senti o diário e os desenhos de Deena. Seu desenho do pôr do sol no lago está emoldurado e pendurado na minha sala de estar atualmente.

Laura quase engasgou. Ela havia visto o desenho, fora atraída por ele no primeiro dia de visita à senhora Mandelcorn.

— Mas o que aconteceu a Deena? — Laura perguntou com suavidade. — A senhora descobriu o que aconteceu?

Com isso, a senhora Mandelcorn finalmente sorriu.

— Ela sobreviveu. Foi um milagre que alguém daquele primeiro transporte tenha sobrevivido. A família dela morreu, mas ela conseguiu se salvar. Ela mora em Nova York hoje em dia e, sim, ela se tornou uma artista conhecida. Ela faz muitas exposições da sua arte e eu fui a todas até agora.

Mais uma peça do quebra-cabeça estava no lugar.

— Temo que a Polônia, no final da guerra, ainda não era um lugar amigável para os judeus — a senhora Mandelcorn suspirou. — Eu fiquei sabendo de uma oportunidade para órfãos judeus como Hinda e eu deixarmos a Europa e virmos para a América do Norte. Chegamos em 1947 e estamos aqui desde então. Esse é o final da história.

A mãe de Laura reapareceu.

— Laura, querida — ela disse. — Você tem de vir agora. Todos os nossos convidados estão esperando.

Laura concordou com a cabeça.

— Estou indo, mamãe. Estarei lá em um minuto.

E acrescentou para a senhora Mandelcorn:

— A senhora é realmente muito bem-vinda para ficar para o almoço.

Laura sentia-se fraca e cheia de um misto de emoções. Todas as suas perguntas foram respondidas, todas as peças estavam encaixadas. O final

da história da senhora Mandelcorn — da história de Sara — era terrivelmente triste em algumas partes, como Laura temia. Mas Sara havia sobrevivido, junto com Deena e Hinda. Saber que elas estavam bem dava a Laura um pouco de paz.

A senhora Mandelcorn balançou a cabeça.

— Não, minha querida. Preciso mesmo ir. Por favor, não fique triste — ela acrescentou. — Hoje você me homenageou mais do que pode imaginar, mas, o que é mais importante, você homenageou meus pais, avós e David.

— Não parece ser o suficiente, não por tudo o que você passou — Laura disse.

A senhora Mandelcorn tocou no rosto de Laura.

— É mais do que você pode imaginar.

Laura concordou com a cabeça e, depois, tirou o diário da bolsa. Aquelas palavras significavam mais para ela do que antes. Ela o abriu mais uma vez e olhou o texto, pensativa.

— Pegue — ela disse, entregando-o. — Você precisa tê-lo de volta para mantê-lo em segurança.

A senhora Mandelcorn olhou o diário com cuidado e, depois, levantou o olhar para Laura.

— Acho que você deve ficar com ele agora.

— Ah, não — Laura protestou. — É valioso demais, eu não poderia...

— Mas eu insisto — disse a senhora Mandelcorn, empurrando o diário gentilmente de volta para Laura. — Você fez algo para mim hoje, Laura. Você me deu uma paz que nunca pensei que teria e, como retribuição, quero lhe dar o diário. Ele sempre a fará se lembrar de mim. Ele é seu, para que você o passe adiante algum dia — ela acrescentou —, assim como contou minha história hoje. É a melhor coisa que você pode fazer por mim.

Laura agarrou o diário com as duas mãos e o abraçou.

— Prometo que irei visitá-la — ela disse. — Nunca esquecerei a senhora.

— Fico feliz — a senhora Mandelcorn respondeu.

Com isso, ela saiu da sinagoga com passos vagarosos. Laura a viu ir embora e, depois, foi para perto da sua família e dos seus amigos.

Nota da autora

Em comunidades de todo o mundo, meninas e meninos judeus celebram seu *bar mitzvah* (aos treze anos, para os meninos) e *bat mitzvah* (aos doze anos, para meninas). É a passagem para a vida adulta dessas crianças e o momento em que devem seguir as regras e tradições da religião judaica. Meninos e meninas podem passar vários meses estudando até a cerimônia. No dia marcado, vão à sinagoga e devem recitar orações e bênçãos da Torá, o rolo com ensinamentos judeus. É um evento importante na vida das crianças judias e a cerimônia geralmente é seguida por uma celebração com comida, presentes e festa.

Recentemente, em uma tentativa de fazer com que os *bar* e *bat mitzvah* sejam uma experiência mais significativa, as sinagogas têm incentivado os jovens a "compartilharem" suas cerimônias com uma criança judia que não a tenha vivido na época da Segunda Guerra Mundial e do Holocausto. Na maioria dos casos, essas crianças não sobreviveram à guerra. Dos seis milhões de judeus que morreram ou foram mortos na época, sabemos que pelo menos um milhão e meio eram crianças com menos de dezesseis anos. Em alguns casos, os jovens "compartilham" sua cerimônia com um sobrevivente do Holocausto, alguém cuja infância foi interrompida pela guerra e, portanto, nunca teve a oportunidade de realizar um *bar* ou *bat mitzvah*.

Quando um jovem de hoje compartilha essa cerimônia especial com uma criança do Holocausto, é uma oportunidade para que muitas dessas crianças sejam lembradas e homenageadas de uma maneira simples. Esse programa ficou conhecido como Programa de gêmeos.

Os personagens de *O diário da irmã de Laura* são fictícios, mas há muitos elementos históricos nesta história. O Gueto de Varsóvia existiu durante a Segunda Guerra Mundial, o maior gueto judeu criado pelos nazistas. Foi construído por judeus em outubro de 1940 e completamente fechado em novembro daquele ano. Naquela época, havia quase meio milhão de judeus lá, presos atrás dos altos muros em uma área de apenas 3,3 quilômetros quadrados.

A vida no gueto era dura. A superlotação era extrema, havia pouca comida e muitas doenças se espalhavam. Milhares de pessoas morreram por causa dessas condições. Alguns judeus conseguiam encontrar trabalho, mas, sob o olhar vigilante dos chefes nazistas, descobriam que o trabalho causava fortes dores nas costas e era entediante.

Em julho de 1942, os nazistas começaram a deportar os judeus do Gueto de Varsóvia para o campo de concentração de Treblinka. Os judeus eram reunidos e marchavam para a Umschlagplatz, a praça central. De lá, eram colocados em trens e mandados para o campo. Mais de 300.000 judeus foram mandados do Gueto de Varsóvia para Treblinka. Pouquíssimos conseguiram sobreviver.

Dentro do gueto, vários homens e mulheres se uniram em uma tentativa de lutar contra os nazistas. Ficaram conhecidos na Polônia como a Zydowska Organizacja Bojowa (ZOB) ou Organização da Luta Judaica. Seu líder era Mordechai Anielewicz. Com vinte e três anos, ele trabalhava com a ZOB dentro do gueto e, junto à resistência polonesa, conseguia armas e treinava os jovens combatentes judeus para resistirem a futuras deportações.

A rebelião dos combatentes judeus ficou conhecida como o Levante do Gueto de Varsóvia e começou em 19 de abril de 1943. Os nazistas achavam que derrotariam a revolta judia em questão de dias. Eles estavam em número muito superior ao dos membros da resistência com seu exército

Combatentes da resistência judaica deitados em uma rua de cascalho do gueto enquanto seus pertences são vasculhados.

O Gueto de Varsóvia, destruído, depois do levante.

enorme e suas armas superiores. Mas a verdade é que o levante durou um mês inteiro. Os guerreiros judeus não se rendiam. Usando granadas amadoras, alguns rifles e outros explosivos artesanais, eles conseguiram afastar os nazistas. Por fim, os nazistas foram forçados a queimar o gueto em

Janusz Korczak

uma tentativa de tirar de lá os soldados da resistência que sobraram. Muitos meses depois do término oficial do levante, ainda existiam relatos de combatentes judeus em casamatas ocultas que continuavam a lutar contra os soldados nazistas.

Janusz Korczak foi um médico e educador polonês, prisioneiro do gueto e diretor do orfanato de lá. Ele havia sido o diretor do Orfanato Judeu da Polônia antes da guerra. Foi então que ele teve o sonho de abrir um orfanato onde crianças judias e católicas vivessem juntas. Isso, é claro, nunca aconteceu. Enquanto esteve no gueto, o doutor Korczak teve várias oportunidades de escapar clandestinamente, mas ele se recusava a abandonar as crianças. Em 6 de agosto de 1942, ele e as crianças do orfanato foram deportados para o campo de concentração de Treblinka. Testemunhas do gueto relataram que o médico e as crianças caminharam para a estação de trem com coragem e uma dignidade silenciosa.

Durante toda a sua vida, o doutor Korczak acreditou que deveria haver uma declaração dos direitos das crianças no mundo. Com base nos seus ensinamentos e nos seus escritos, a Organização das Nações Unidas adotou a Convenção dos Direitos das Crianças, em 1989. Esses direitos incluíam o direito das crianças de receber amor, o direito à proteção, o direito ao respeito, o direito à felicidade e muitos outros. Até hoje, mais de 190 países de todo o mundo assinaram a Convenção dos Direitos das Crianças da ONU. Graças ao doutor Korczak, os direitos das crianças estão sendo reconhecidos e respeitados no mundo todo.

Heróis do Levante do Gueto de Varsóvia

Aproximadamente 1.000 combatentes judeus participaram do levante do Gueto de Varsóvia, liderado por alguns comandantes. Esses jovens homens e mulheres não tinham treinamento adequado nem armas boas e estavam em grande desvantagem numérica. Poucos sobreviveram. Todos os combatentes da resistência judia foram heróis, recusando-se a se entregar aos nazistas sem lutar. Aqui estão pequenas biografias de alguns dos líderes.

Mordechai Anielewicz

Este jovem comandante do Levante do Gueto de Varsóvia nasceu em 1919 em um bairro pobre de Varsóvia. Quando ainda era adolescente, entrou para um movimento jovem que trabalhava para tirar judeus da Polônia. Foi capturado e preso por causa dessas atividades. Ao ser libertado da prisão, ele voltou para Varsóvia e para o gueto, onde ajudou a publicar um jornal clandestino e organizar reuniões sobre a resistência. Ele até saiu escondido do gueto várias vezes para visitar amigos e parceiros em outros guetos. Todas essas atividades estavam levando

Mordechai na direção de se tornar um líder e, em novembro de 1942, aos vinte e dois anos, foi eleito comandante-chefe da Organização da Luta Judaica do Gueto de Varsóvia. Ele começou a organizar esse grupo para lutar contra os nazistas.

Em 19 de abril de 1943, na véspera do feriado judeu da *Pessach*, quando os nazistas iniciaram a última grande deportação de judeus do gueto para campos de concentração, Mordechai e seu exército de resistência atacaram. Apesar de estarem em grande desvantagem numérica em relação ao exército nazista, os combatentes judeus não se rendiam. Muitos perderam a vida nas batalhas que se seguiram. Mordechai Anielewicz foi morto em 8 de maio, quando as tropas nazistas invadiram o seu quartel. Ele tinha apenas vinte e quatro anos quando morreu.

Algumas pessoas levantaram a hipótese de que Mordechai e os outros membros do levante nunca acreditaram de verdade que sobreviveriam. Eles sabiam que era inútil lutar contra o exército nazista, poderoso e bem equipado. Em vez disso, Mordechai e os outros lutaram para poderem escolher qual tipo de morte queriam ter. Em uma última carta para um amigo que estava escondido fora do gueto, Mordechai escreveu: "Sinto que coisas importantes estão acontecendo aqui e o que ousamos fazer tem uma importância enorme... Sou testemunha desta batalha heroica dos combatentes judeus".

Mira Fuchrer

Mira também era uma ativista nata e, quando adolescente, fez parte de um movimento jovem que acreditava que a liberdade do povo judeu poderia ser alcançada com a mudança para a terra que se tornaria Israel. Foi durante esse tempo que ela conheceu Mordechai Anielewicz e se apaixonou por ele. Durante o levante do gueto, ela lutou ao lado de Mordechai e também foi morta em 8 de maio, quando as tropas nazistas

invadiram o quartel onde eles lutavam. Ela tinha apenas vinte e quatro anos quando morreu.

Leah Perlstein

Leah era uma jovem professora e fazia parte de um movimento de jovens que estavam se preparando para, um dia, mudarem--se para a terra que se tornaria Israel. Em 1940, ela estava participando da organização de um grupo de judeus para deixar a Eslováquia quando foi chamada para ajudar na resistência do Gueto de Varsóvia. Ela trabalhava do lado de fora dos muros do gueto, comprando armas e negociando com a resistência polonesa para conseguir ajuda. Foi morta por soldados nazistas em janeiro de 1943.

Aharon Bruskin

Pouco se sabe sobre a vida deste jovem que nasceu em 1918, no final da Primeira Guerra Mundial. O que se sabe é que ele também tinha participação ativa na Organização da Luta Judaica do Gueto de Varsóvia e lutou ao lado de Mordechai Anielewicz durante o levante. Em 7 de março de 1943, ele e um grupo de combatentes escaparam pelo esgoto do gueto para tentar conseguir ajuda de amigos do lado de fora. Quando estavam saindo de um cano do esgoto, sofreram uma emboscada de um grupo de soldados nazistas. Aharon morreu naquela emboscada. Ele tinha apenas vinte e cinco anos.

David Hochberg

Este jovem corajoso tinha apenas dezenove anos quando se tornou comandante de um grupo de batalha no Gueto de Varsóvia. Sua mãe o havia proibido de entrar para a Organização da Luta Judaica, mas David desafiou suas ordens e se tornou membro da resistência. Durante o levante, ele estava defendendo uma casamata na Rua Mila, número 29, onde algumas centenas de civis estavam escondidos. Quando os nazistas atacaram, ficou claro que todos os que estavam no abrigo seriam mortos. David largou suas armas e bloqueou a pequena entrada da casamata com o seu corpo. Ele foi imediatamente morto, mas, enquanto os soldados nazistas tentavam remover o corpo da pequena entrada, todos os civis que estavam escondidos atrás dele conseguiram escapar.

Zivia Lubetkin

Zivia foi uma das fundadoras e única mulher no alto comando da Organização da Luta Judaica. Seu nome em polonês, Cuwia, era o código para "Polônia" nas cartas enviadas a grupos de resistência dentro e fora do gueto. Nos últimos dias do levante, liderou um grupo de combatentes pelo esgoto de Varsóvia e conseguiu escapar. Ela foi um dos poucos combatentes a sobreviver. Depois da guerra, Zivia passou a participar ativamente

no auxílio a sobreviventes do Holocausto para que deixassem a Europa Oriental em direção à terra que se tornaria Israel. Ela mesma foi para lá em 1946, onde ajudou a fundar o museu Guetto Fighter's House, dedicado aos que lutaram no Gueto de Varsóvia. Ela se casou com Yitzhak Zukerman, também membro da Organização da Luta Judaica de Varsóvia. Zivia morreu em 1976.

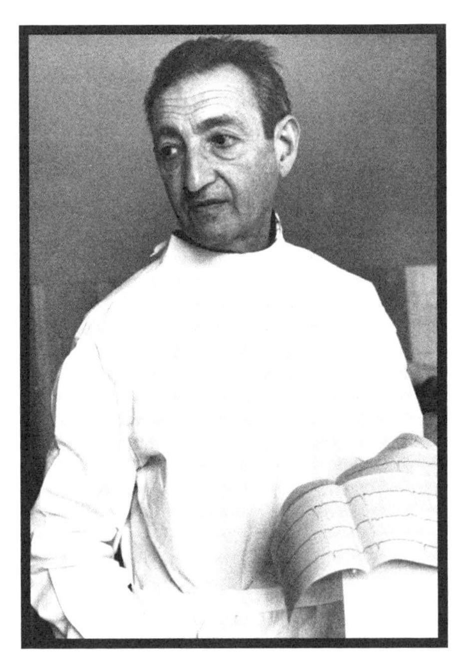

Marek Edelman

Nascido em 1922, Marek tinha apenas vinte e um anos quando lutou ao lado de Mordechai Anielewicz no levante. Ele era um dos três subcomandantes que defendiam a área da fábrica de escovas do gueto. Marek conseguiu escapar do gueto nos últimos dias do levante. Depois da guerra, ele estudou medicina e continuou tendo participação ativa na política e na luta pelos direitos e pela liberdade. Em 1998, Marek recebeu a Ordem da Águia Branca, a mais alta condecoração da Polônia.

Memorial dos Heróis do Gueto de Varsóvia

Construído por Nathan Rappaport em 1948, este monumento está localizado em Varsóvia, na Rua Zamenhofa, onde aconteceu uma das principais batalhas do levante. Mordechai Anielewicz está representado no centro, segurando uma granada.

Memorial dos Heróis do Gueto de Varsóvia.

Histórias reais de gêmeos

Gabrielle Selina Reingewirtz Samra

Montreal, 2007

Era uma manhã de primavera, fresca, mas com sol, em abril de 2007, quando Gabby Samra, então com doze anos, encarou uma plateia de quatrocentos amigos, familiares e membros da congregação, reunidos em uma sinagoga de Montreal para celebrar com ela seu *bat mitzvah*. Aquela não era apenas a coroação de mais de um ano de trabalho, aprendizado e estudo das orações e bênçãos em hebraico que ela teria de recitar, mas Gabby também havia passado os meses anteriores pesquisando informações sobre uma menina judia que nunca teve a oportunidade de celebrar o seu *bat mitzvah*. Essa menina, como muitas outras crianças judias, foi morta durante a guerra em Auschwitz, um dos piores campos de concentração de Adolf Hitler. Seu nome era Chaya Leah Dragum.

Na verdade, foi a mãe de Gabby quem teve a ideia de unir Gabby a uma irmã "gêmea" que viveu durante o Holocausto. O irmão mais velho de Gabby, Mikey, havia celebrado seu *bar mitzvah* alguns anos antes e também havia participado do programa de gêmeos. Quando chegou a vez de Gabby de estudar para o seu *bat mitzvah*, parecia natural que ela também encontrasse uma maneira de homenagear e relembrar uma criança judia da época da guerra.

A mãe de Gabby procurou em um banco de dados sobre o Holocausto uma família que tivesse morado na mesma cidade da Polônia que seu pai. Ela encontrou a família Dragun e descobriu que Abraham Dragun havia

sobrevivido à guerra e vivia em Israel. Abraham tornou-se um importante elo e forneceu informações sobre a sua família. Mikey, em seu *bar mitzvah*, havia homenageado o irmão mais novo de Abraham, Yitzhak Yaakov Dragun. A irmã de Abraham, Chaya Leah, foi a gêmea de Gabby em seu *bat mitzvah*.

Gabby é magra, tem a pele branca, os olhos de um azul intenso e os cabelos loiros como a areia da praia. Ela é inteligente — frequenta um colégio para alunos superdotados — e fala bem. Embora tenha uma voz suave, ela tem personalidade forte. Gabby nunca vai longe sem levar um livro com ela, mas tem a mesma grande paixão por esportes, como futebol e basquete. Como Gabby, Chaya Leah Dragun era quieta, tinha cabelos longos e loiros e olhos azuis. Ela também adorava ler e amava seus amigos e sua família. Ela tinha mais ou menos a idade de Gabby quando a guerra começou, em 1939.

Chaya Leah era de Zuromin, uma cidade localizada a apenas 96 quilômetros de Varsóvia, na Polônia. Quando a guerra teve início, os nazistas ocuparam Zuromin e Chaya Leah e sua família foram mandadas para o Gueto de Varsóvia. Moraram lá por três anos, enfrentando a fome, as doenças e o medo constante do que iria acontecer a eles. Em 1942, Chaya Leah e a família foram mandadas para o campo de concentração de Auschwitz. Ela foi colocada imediatamente na câmara de gás.

Antes do seu *bat mitzvah*, Gabby já sabia bastante sobre o Holocausto, pois o havia estudado na sexta série. Ela havia feito alguns trabalhos, visitado o museu do Holocausto da sua cidade e até tentado encontrar histórias sobre crianças da sua idade que viveram naquela época. Mas conhecer a história de Chaya Leah por meio do programa de gêmeos foi uma oportunidade para Gabby criar uma ligação pessoal com alguém da sua idade que morou na cidade natal de seu avô. Era como criar um laço entre duas famílias e duas meninas, unindo passado e presente.

É sempre difícil encontrar informações detalhadas sobre crianças durante o Holocausto. A menos que alguns membros da família tenham tido a sorte de sobreviver para levar as lembranças adiante, as histórias dessas crianças se perdem na História. Gabby teve sorte de conseguir contato com o irmão de Chaya Leah, Abraham, que preencheu algumas lacunas sobre a vida de Chaya: qual era a sua aparência, quais eram os seus interesses, como ela viveu antes e durante a guerra. Gabby conversou com Abraham e com a filha dele. Ela escreveu cartas e montou um folheto que foi distribuído no seu *bat mitzvah*, descrevendo o que ela sabia sobre a vida de Chaya Leah. Ter uma foto da família Dragun foi um presente a mais recebido por Gabby. Ela pôde dar um rosto ao nome Chaya Leah e à sua vida. Isso ajudou a criar uma ligação ainda mais significativa com a história.

Ainda assim, houve muitas coisas que Gabby não conseguiu descobrir. Até hoje, Gabby se pergunta como Chaya Leah conseguiu lidar com o fato de saber que iria enfrentar sua própria morte, quanto medo ela sentiu e o que ela pensava. Nunca saberemos esses detalhes sobre as crianças que não sobreviveram.

Apesar disso, Gabby pôde homenagear Chaya Leah de uma maneira muito significativa. Durante o seu discurso no *bat mitzvah*, Gabby disse o seguinte:

Quando penso em Chaya Leah Dragun, a garota da Polônia que é minha irmã gêmea no meu bat mitzvah, *lembro que essa menina e a maior parte da sua família morreram no Holocausto por causa do veneno do antissemitismo, um veneno que começou a ser espalhado pela repetição de palavras de ódio. É claro que o antissemitismo e o Shoah (Holocausto) envolveram muito mais do que simples palavras, mas atos cruéis com frequência vêm depois de palavras cruéis. Assim como vários flocos de neve podem formar uma avalanche perigosa, as palavras podem ficar maiores e mais fatais...*

Às vezes, o mal, assim como a avalanche, não pode ser parado e pessoas inocentes como Chaya Leah sofrem ou até morrem. Temos que ter muito cuidado com o que falamos e a maneira como falamos. Minha avó costumava nos aconselhar dizendo: "Se você não tem nada de bom para dizer, não diga nada". Acho que essa é uma boa regra para adotarmos... Por que não tentamos segui-la?

Família Dragun

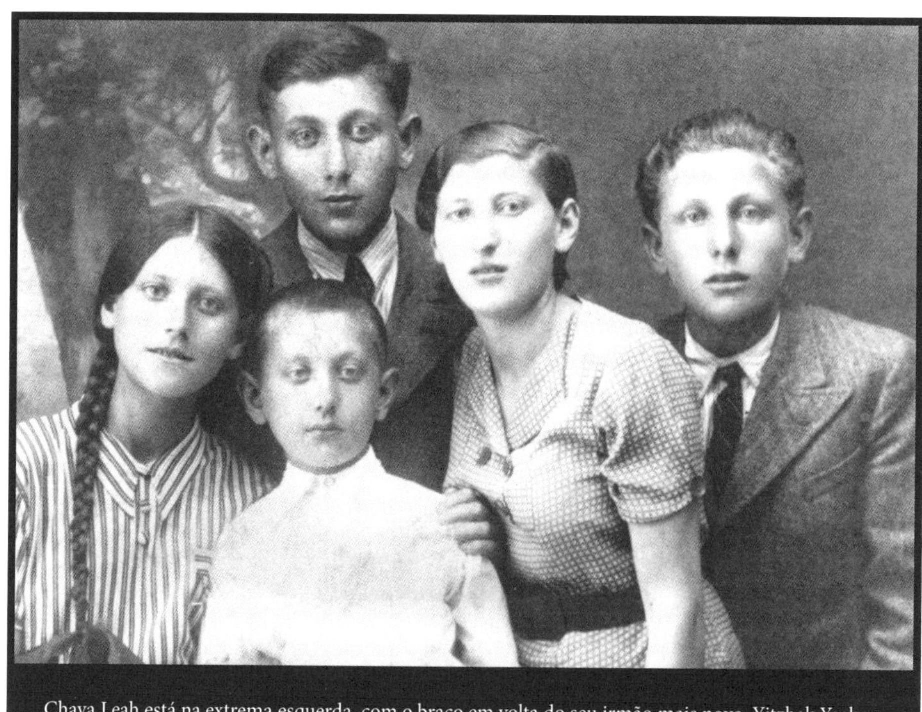

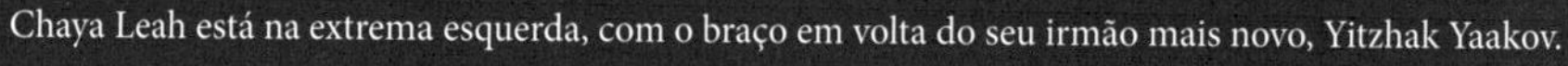

Chaya Leah está na extrema esquerda, com o braço em volta do seu irmão mais novo, Yitzhak Yaakov.

Dexter Glied-Beliak

Toronto, 2005

— Sou neto de sobreviventes do Holocausto — disse Dexter Glied-Beliak em seu discurso para os membros da congregação durante o seu *bar mitzvah*, em 2005. Era 26 de fevereiro, dez dias depois de Dexter comemorar seu aniversário de treze anos e ele estava discursando em frente a uma plateia lotada de amigos e familiares, reunidos na sinagoga Beth Tzedek, em Toronto. O clima havia cooperado com aquele dia de inverno: nenhuma tempestade de neve interferiu naquele evento especial.

O *bar mitzvah* de Dexter ficou ainda mais importante por causa da presença do seu avô, Bill Glied. Para a sua cerimônia, Dexter havia escolhido homenagear uma criança que morreu no Holocausto e essa criança era a irmã do seu avô, Aniko Glied.

Aniko nasceu em 26 de agosto de 1936 em Subotica, na Iugoslávia (agora, Sérvia). Sua família a chamava de Pippi, ela era gentil e quieta e tinha um sorriso carinhoso que iluminava tudo ao seu redor. Ela tinha cabelos longos e escuros, que costumava prender em tranças e marias-chiquinhas, seguras por grandes laços brancos. Como as outras crianças da sua idade, Pippi tocava piano e frequentava a escola pública local. A família Glied de Subotica assistia a cerimônias na grande sinagoga no centro da cidade. Dos 100.000 cidadãos de lá, aproximadamente 6.000 eram judeus e, na sua maioria, membros de famílias ricas que tinham fazendas ou, como os Glied, uma empresa de moagem de farinha. A riqueza e a liberdade que essas famílias conheciam começaram a desaparecer com rapidez em 1941, conforme a guerra avançava. Em 1944, todos os judeus de Subotica haviam sido levados para um gueto e, pouco depois, eles todos foram mandados para o campo de concentração de Auschwitz. Pippi e sua mãe foram mandadas diretamente para a câmara de gás. Apenas quatrocentos judeus de Subotica sobreviveram, Bill foi um deles.

Bill nunca falou muito sobre suas experiências durante a guerra. Como muitos sobreviventes, ele achava doloroso demais conversar sobre aquela época e o que havia acontecido à sua família. Às vezes, ele até se sentia culpado por ter sobrevivido quando sua irmã, seus pais e tantos outros pereceram.

— Construí um muro em volta dessas memórias — Bill disse.

Ele ficou bastante relutante para compartilhar sua história com seus filhos e netos.

Foi ideia da mãe de Dexter que seu filho participasse de um projeto de gêmeos para o seu *bar mitzvah*. Assim que ela contou a ideia a Dexter, ele ficou ansioso para fazer alguma coisa. Dexter tinha informações sobre o Holocausto, aprendeu muito na escola e sempre se sentiu atraído pelas histórias que ouvia de sobreviventes e vítimas daquela época. Mas ele não sabia muito sobre a vida do seu avô. E assim começou sua jornada para descobrir a história do seu avô e de Pippi.

Dexter começou a entrevistar seu avô, perguntando a respeito da sua vida antes e durante a guerra, descobrindo o que podia sobre a irmã mais nova dele. O momento mais difícil foi quando Dexter soube o que aconteceu com Pippi depois de a família ser deportada para Auschwitz. A última vez que seu avô a viu foi quando chegaram ao campo de concentração. Quando as portas do vagão para transporte de gado no qual tinham viajado foram abertas, seu avô se lembra de ter visto a luz ofuscante do sol da manhã. Em seguida, ordenaram que saíssem do trem em filas separadas. Pippi e sua mãe foram mandadas para a direita e, imediatamente, para a morte.

— Eu nunca me despedi delas — o avô de Dexter disse para ele. — Eu nunca mais as vi.

Ao ouvir a história de seu avô, Dexter ficou chocado e indignado. Ele mesmo tem dois irmãos mais novos e uma irmã mais velha e não pode imaginar como seria perder alguém da sua família daquela maneira.

— Tenho a idade que meu avô tinha quando tudo isso aconteceu a ele — disse Dexter. — É tão injusto pensar que algo assim possa ter acontecido.

Dexter é alto e fala bem, tem um sorriso carinhoso e cabelos escuros e cacheados. Ele é atlético e adora esportes de todos os tipos, como hóquei, basquete, natação e esqui aquático. Mas sua verdadeira paixão é a música; ele escuta tudo, desde música clássica até música country. Ele é o neto mais velho e sempre foi muito apegado ao seu avô, até se parece com ele. Porém, essa experiência de escolher a irmã do seu avô como sua gêmea fez com que os dois se aproximassem ainda mais. E algo marcante aconteceu ao avô de Dexter: por mais doloroso que sempre tenha sido, para ele, conversar sobre sua história, ele achou que a união do seu neto e da sua irmã como gêmeos foi um evento feliz.

— Com meu neto, agora há uma voz para levar minha história adiante — ele disse.

Dexter compartilha desse sentimento. Ele finalizou seu discurso na sinagoga dizendo:

— Ao celebrar meu *bar mitzvah*, eu escolhi homenagear alguém que morreu durante o Holocausto porque acho que tenho o dever de nunca esquecer.

Aniko (Pippi) Glied
26 de agosto de 1936 a maio de 1944.

Agradecimentos

Há muitos anos, Margie Wolfe, da Second Story Press, me deu a ideia de escrever este livro. Ela havia assistido a uma cerimônia do programa de gêmeos durante um *bar mitzvah* e pensou que seria um ponto de partida maravilhoso para um romance. Essa ideia foi um verdadeiro presente e, por isso e por diversos outros motivos, sou grata a Margie. Ela tem sido uma mentora e amiga fantástica por toda a minha carreira como escritora. Já lhe agradeci muitas vezes antes, mas agora tenho mais uma oportunidade de expressar a minha gratidão por tudo o que ela fez.

Peter Carver acrescentou seu experiente olho de editor a este projeto e, por isso, eu o agradeço muito. Suas opiniões foram reveladoras e sensíveis, desafiando-me a pensar com mais cuidado na história e nos personagens. Tem sido um privilégio trabalhar com Peter e tê-lo como meu editor.

Quero agradecer a Carolyn Jackson pela revisão editorial extra, a Melissa Kaita por seu design criativo e a Emma Rodgers, Phuong Truong e Barbara Howson, as maravilhosas mulheres da Second Story Press.

Meus mais sinceros agradecimentos a Gabby Samra, Dexter Glied-Beliak e suas famílias por compartilharem suas histórias sobre projetos de gêmeos reais. Agradeço especialmente a Bill Glied, o avô de Dexter, por ter conversado comigo sobre sua história.

Sinto-me muito agradecida à minha amiga, Marilyn Wise, por ter me ajudado a traduzir a canção iídiche.

Busquei informações sobre o Gueto de Varsóvia e o levante em diversas fontes. Em especial no livro *Brave and Desperate*: *The Warsaw Guetto Uprising,* de Danny Dor, Ilan Kfir e Chava Biran.

O programa Writers in Residence (Escritores residentes) do Ontario Arts Council (Conselho de Artes de Ontário) generosamente ofereceu o apoio financeiro para este projeto.

Eu tenho um círculo fabuloso de amigos, escritores amigos e amigos da família. Agradeço a todos por me ouvirem, por se preocuparem comigo e por me incentivarem de todas as maneiras possíveis.

E, finalmente e sempre, quero agradecer à minha incrível família, meu marido Ian Epstein e meus filhos, Gabi e Jake. Os três leram os primeiros rascunhos deste livro e me deram opiniões valiosas enquanto eu lutava para criar uma história significativa. Sou grata pela sua honestidade, suas risadas e seu amor e ofereço-lhes de volta tudo isso e muito mais.

Fontes

Aqui estão algumas referências para leitores que quiserem mais informações sobre o Gueto de Varsóvia.

http://www.ushmm.org

http://www.holocaustcentre.com

http://www.yadvashem.org

Mordechai Anielewicz: Hero of the Warsaw Guetto Uprising, de Kerry P. Callahan, Rose Publishing Group, 2001.

Emmanuel Ringelbaum: Historian of the Warsaw Guetto, de Mark Beyer, Rosen Publishing Group, 2001.

Child of the Warsaw Guetto, de David A. Adler, ilustrado por Karen Ritz, Holiday House Inc., 2000.

Janusz Korczak's Children, de Gloria Spielman, ilustrado por Matthew Archambault, Kar-Ben Publishing, 2007.

Créditos das fotos

Página 38: USHMM
Página 48: USHMM
Página 65: Yad Vashem
Página 74: USHMM
Página 78: Yad Vashem
Página 80: Yad Vashem
Página 80: USHMM
Página 83: USHMM
Página 84: The Guetto Fighters' House
Página 85: USHMM
Página 87: USHMM
Página 106: Beth Hatefutsoth, The Nahum Goldmann Museum of the Jewish Diaspora
Página 107: USHMM
Página 110: USHMM
Página 114: USHMM
Página 115: USHMM
Página 119: USHMM
Página 123: USHMM
Página 123: David Shankbone
Página 124: USHMM
Página 136: USHMM
Página 138: USHMM
Página 142: USHMM
Página 158: USHMM
Página 165: USHMM
Página 165: USHMM
Página 166: USHMM
Página 167: Yad Vashem
Página 169: The Guetto Fighters' House
Página 170: The Guetto Fighters' House
Página 170: Yad Vashem
Página 171: Yad Vashem
Página 172: Tevan Alexander

As fotos do programa de gêmeos são cortesia das famílias Dragun e Glied-Beliak.

USHMM: The United States Holocaust Memorial Museum